くもんの小学ドリル

# がんばり2年生 学しゅう記(き)ろくひょう

名前(なまえ)

1 2 3 4 5 6 7 8

9 10 11 12 13 14 15 16

17 18 19 20 21 22 23 24

25 26 27 28 29 30 31 32

33 34 35 36 37 38 39 40

41 42 43 44

あなたは
「くもんの小学ドリル　学力チェックテスト　2年生　国語(こくご)」を、
さいごまで　やりとげました。
すばらしいです！
これからも　がんばってください。

1さつ　ぜんぶ　おわったら、
ここに　大きな　シールを
はりましょう。

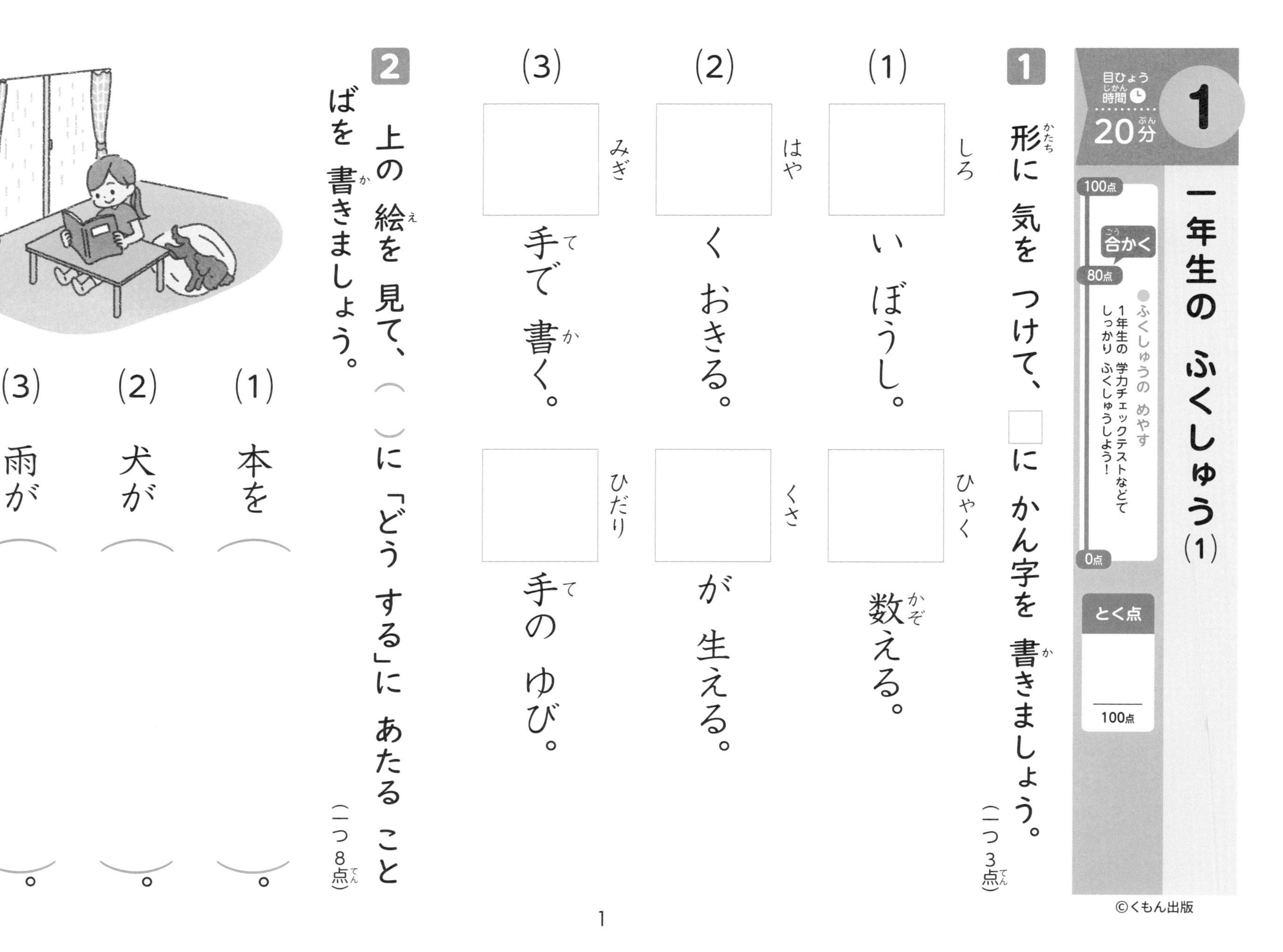

# 1 一年生の ふくしゅう(1)

目ひょう時間 20分

合かく 80点（100点〜0点）

●ふくしゅうの めやす
1年生の 学力チェックテストなどで しっかり ふくしゅうしよう！

とく点　　　／100点

**1** 形に 気を つけて、□に かん字を 書きましょう。（一つ 3点）

(1) □（しろ） い ぼうし。　□（ひゃく） 数える。

(2) □（はや） く おきる。　□（くさ） が 生える。

(3) □（みぎ） 手で 書く。　□（ひだり） 手の ゆび。

**2** 上の 絵を 見て、（　）に「どう する」に あたる ことばを 書きましょう。（一つ 8点）

(1) 本を（　　　　　　）。

(2) 犬が（　　　　　　）。

(3) 雨が（　　　　　　）。

**3** を・と・に のうち、□に合う字を書きましょう。（一つ5点）

(1) りんご□みかん□買う。

(2) かさ□家□わすれる。

(3) ピアノ□合わせて、歌□歌う。

(4) 姉□いっしょに、あそび□行く。

**4** まちがっている字をさがして――を引き、正しく書き直しましょう。（一つ6点）

〈れい〉 わたしわ、公園へ行った。 は

(1) 大きなバスがとうりすぎた。

(2) 人形おはこにしまう。

(3) 休みぢかんに校ていであそぶ。

# 2 一年生の ふくしゅう(2) 「いろいろな ふね」

目ひょう時間 30分

合かく 80点 (100点 / 0点)

● ふくしゅうの めやす
1年生の 学力チェックテストなどで しっかり ふくしゅうしよう！

とく点 ／100点

★ 文しょうを 読んで、もんだいに 答えましょう。

フェリーボートは、たくさんの 人と じどう車を いっしょに はこぶ ための ふねです。

この ふねの 中には、きゃくしつや 車を とめて おく ところが あります。

人は、車を ふねに 入れてから、きゃくしつで 休みます。

ぎょせんは、さかなを とる ための ふねです。

(1) フェリーボートは、何を はこぶ ふねですか。(15点)

[　　　　]

(2) フェリーボートに のった 人は、どこで 休みますか。(15点)

[　　　　]

(3) ぎょせんは、何を する ための ふねですか。(20点)

[　　　　]

この ふねは、さかなの むれを 見つける きかいや、あみを つんで います。

見つけた さかなを あみで とります。

しょうぼうていは、ふねの 火じを けす ための ふねです。

この ふねは、ポンプや ホースを つんで います。火じが あると、水や くすりを かけて、火を けします。

(令和２年度版　東京書籍　あたらしい　こくご二下　46〜48ページより『いろいろな ふね』)

(4) ぎょせんは、どんな ものを つんで いますか。二つ さがして、文しょう中に ——線(せん)を 引(ひ)きましょう。(一つ10点(てん))

(5) しょうぼうていは、何(なに)を する ための ふねですか。(15点(てん))

[　　　　]

(6) 「ポンプや ホース」で、何(なに)を しますか。(15点(てん))

[　　　　]

**3** き本テスト① 目ひょう時間 15分

# かん字の 読み書き (1)

き本の もんだいの チェックだよ。できなかった もんだいは、しっかり 学しゅうしてから かんせいテスト を やろう!

とく点 ／100点

かんれんドリル

●かん字は、学年の まとめなので、ページは しめして いません。

〈かん字の 読み〉

**1** ――線の かん字の 読み方を 書きましょう。(一つ5点)

(1) 今の 時間。（　　）

(2) 元気に あそぶ。（　　）

(3) 戸だな。（　　）

(4) 馬車。（　　）

(5) 万年ひつ。（　　）

(6) 人工えいせい。（　　）

30点 ぜんぶ できたら

〈二通りの かん字の 読み〉

**2** ――線の かん字の 読み方を 書きましょう。(一つ5点)

(1) 紙を 切る。（　　）
大切な 話。（　　）

(2) 夕方の 空。（　　）
南の 方こう。（　　）

20点 ぜんぶ できたら

## 3 〈おくりがなに 気を つける かん字〉

――線の ひらがなに 気を つけて、□に かん字を 書きましょう。（一つ5点）

(1) つな［ひ］き。

(2) 車が［と］まる。

(3) ［まる］い 玉。

(4) 糸が［き］れる。

ぜんぶ できたら

20点

## 4 〈かん字の 書き〉

□に かん字を 書きましょう。（一つ5点）

(1) 一［まん］円。

(2) 古い［かたな］。

(3) ［ゆみ］と 矢。

(4) ［ご］後の 天気。

(5) ［さい］のうが ある。

(6) ［うし］が 鳴く。

ぜんぶ できたら

30点

# 4 き本テスト②

目ひょう時間 15分

## かん字の 読み書き(1)

き本の もんだいの チェックだよ。
できなかった もんだいは、しっかり 学しゅうしてから かんせいテスト を やろう！

とく点　　／100点

かんれんドリル
●かん字

〈かん字の 読み〉

**1** ――線の かん字の 読み方を 書きましょう。(一つ 5点)

(1) 父の 日。（　　）

(2) 少年の 声。（　　）（　　）

(3) 妹の へや。（　　）

(4) よい 気分。（　　）（　　）

(5) 外出する。（　　）（　　）

(6) 公園。（　　）（　　）

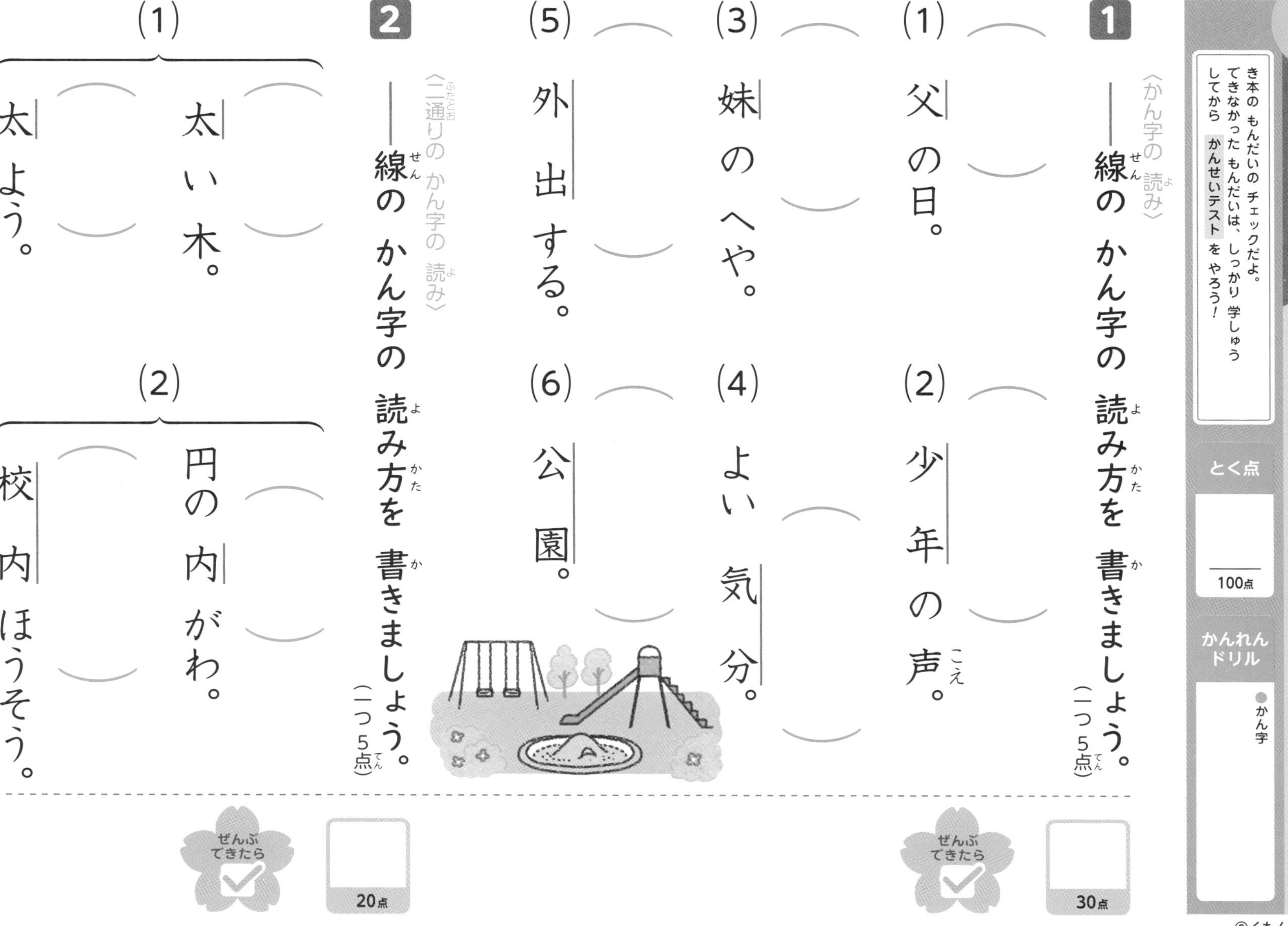

ぜんぶ できたら　　30点

〈二通りの かん字の 読み〉

**2** ――線の かん字の 読み方を 書きましょう。(一つ 5点)

(1)
- 太い 木。（　　）
- 太よう。（　　）

(2)
- 円の 内がわ。（　　）
- 校内 ほうそう。（　　）

ぜんぶ できたら　　20点

## 3 〈おくりがなに 気を つける かん字〉

――線の ひらがなに 気を つけて、□に かん字を 書きましょう。（一つ5点）

(1) 数(かず)が □(すく)ない。

(2) □(わ)かれ道(みち)。

(3) 本が □(おお)い。

(4) 矢(や)が □(はず)れる。

ぜんぶ できたら

20点

## 4 〈かん字の 書き〉

□に かん字を 書きましょう。（一つ5点）

(1) □(おとうと)の かさ。

(2) □(あね)の くつ。

(3) やさしい □(こころ)。

(4) ぶた □(にく)。

(5) □(あに)と 出かける。

(6) □(はは)を 手つだう。

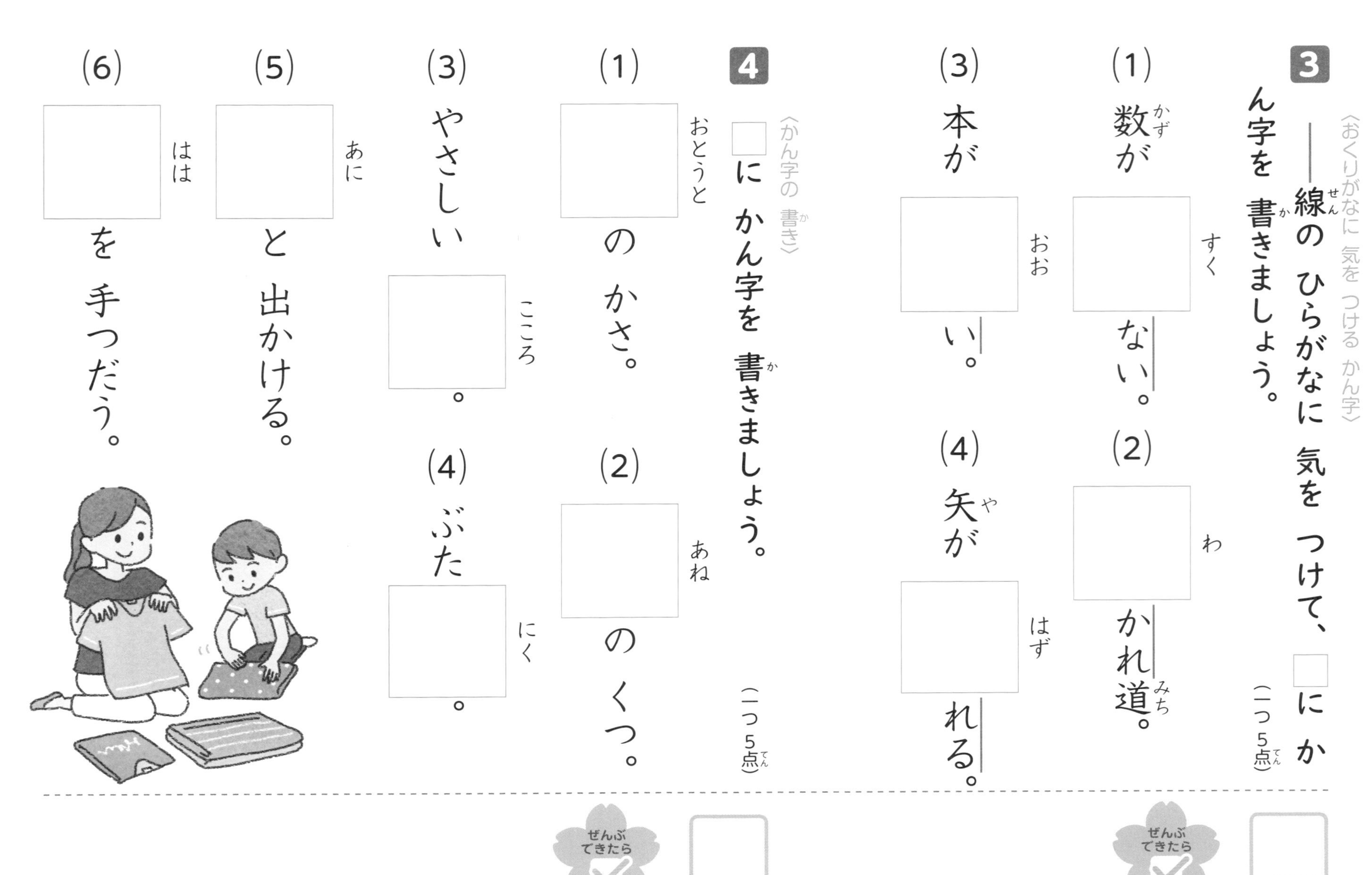

ぜんぶ できたら

30点

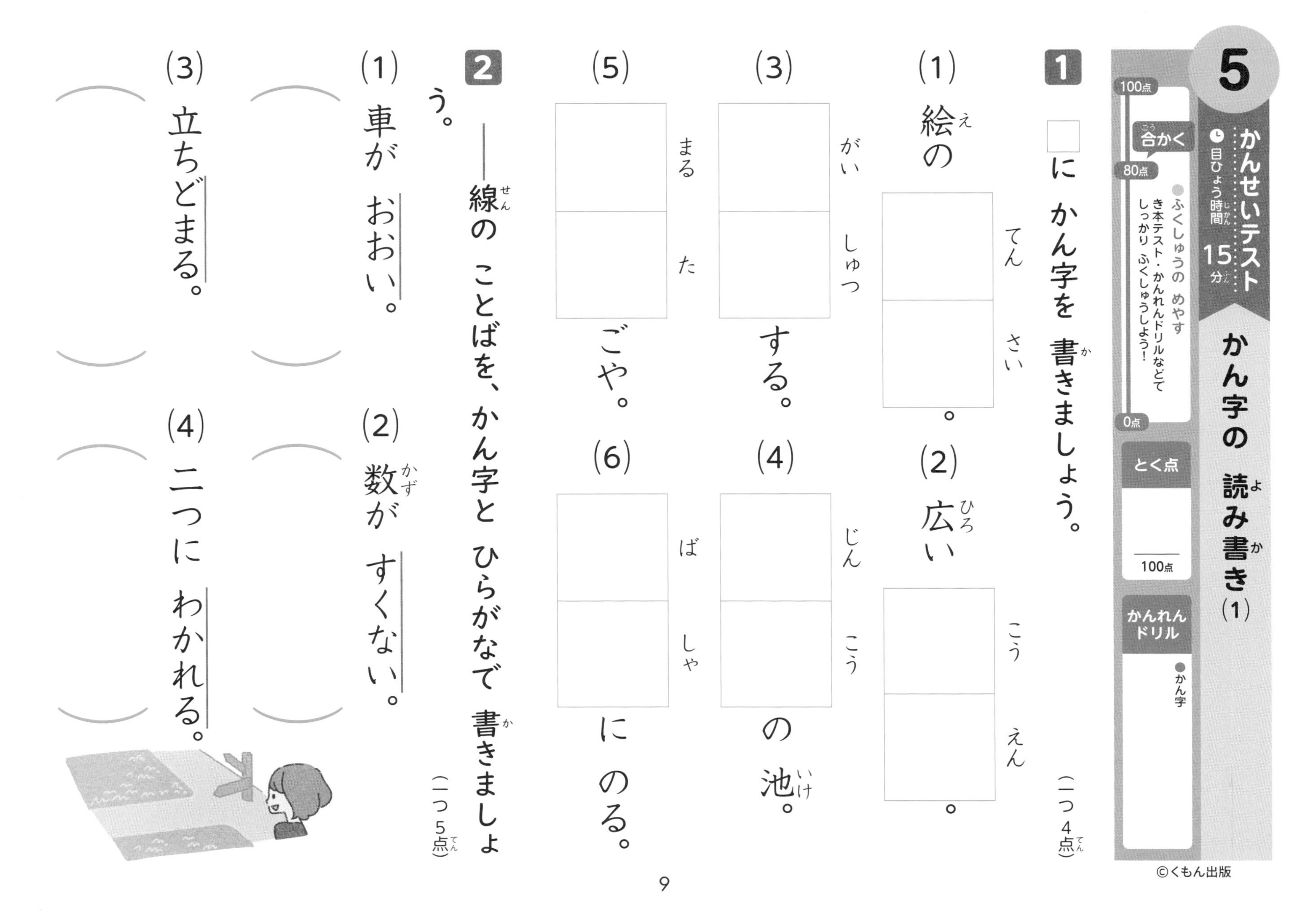

# 5 かんせいテスト かん字の 読み書き（1）

目ひょう時間 15分

合かく 80点 / 100点 / 0点

ふくしゅうの めやす
き本テスト・かんれんドリルなどで しっかり ふくしゅうしよう！

とく点 ／100点

かんれんドリル
● かん字



**1** □に かん字を 書きましょう。（一つ4点）

(1) 絵の □□（てんさい）。

(2) 広い □□（こうえん）。

(3) □□（がいしゅつ）する。

(4) □□（じんこう）の 池。

(5) □□（まるた）ごや。

(6) □□（ばしゃ）に のる。

**2** ——線の ことばを、かん字と ひらがなで 書きましょう。（一つ5点）

(1) 車が おおい。（　　）

(2) 数が すくない。（　　）

(3) 立ちどまる。（　　）

(4) 二つに わかれる。（　　）

## 3

書きじゅんの 正しい ほうに、○を つけましょう。（一つ4点）

(1)
（　）フ 刀
（　）ノ 刀

(2)
（　）丷 丫 弚 弟 弟
（　）丷 䒑 当 弟 弟

(3)
（　）ノ 九 丸
（　）乙 九 丸

(4)
（　）一 厂 丌 馬 馬
（　）丨 厂 丌 馬 馬

## 4

形に 気を つけて、□に かん字を 書きましょう。（一つ5点）

(1)
一□人。（まん）
作り□。（かた）

(2)
□後三時。（ご）
□の 鳴き声。（うし）

(3)
□気な 声。（げん）
□と あそぶ。（あに）

(4)
はこの □がわ。（うち）
□を 食べる。（にく）

6 き本テスト① 目ひょう時間15分

# かん字の 読み書き(2)

き本の もんだいの チェックだよ。できなかった もんだいは、しっかり 学しゅうしてから かんせいテスト を やろう！

とく点 ／100点

かんれんドリル ●かん字

〈かん字の 読み〉

**1** ――線の かん字の 読み方を 書きましょう。（一つ5点）

(1) 春の 草花。（ ）（ ）

(2) げんこう 用紙。（ ）（ ）

(3) 南の 国。（ ）（ ）

(4) 半分。（ ）（ ）

(5) 魚市場。（ ）（ ）

(6) 毛糸の ぼうし。（ ）（ ）

ぜんぶ できたら　30点

〈二通りの かん字の 読み〉

**2** ――線の かん字の 読み方を 書きましょう。（一つ5点）

(1)
- 友だちの 家。（ ）
- 姉の 友人。（ ）

(2)
- 東の 空。（ ）
- 東海地方。（ ）

ぜんぶ できたら　20点

## 3 〈おくりがなに 気を つける かん字〉

――線の ひらがなに 気を つけて、□に かん字を 書きましょう。（一つ5点）

(1) □（ふる）い 本。

(2) へやが □（ひろ）い。

(3) 週の □（なか）ば。

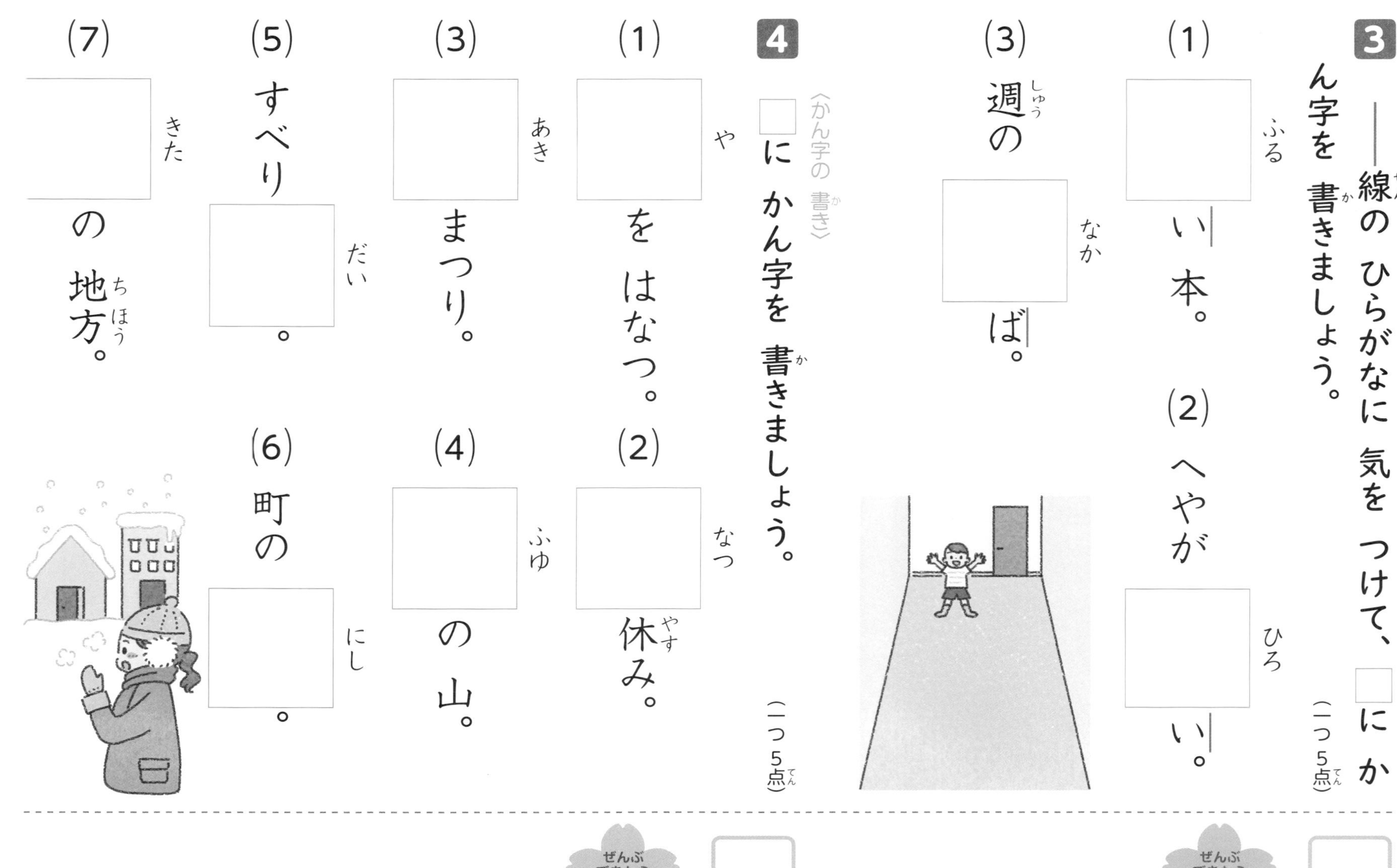

## 4 〈かん字の 書き〉

□に かん字を 書きましょう。（一つ5点）

(1) □（や）を はなつ。

(2) □（なつ）休み。

(3) □（あき）まつり。

(4) □（ふゆ）の 山。

(5) すべり □（だい）。

(6) 町の □（にし）。

(7) □（きた）の 地方。

ぜんぶ できたら　15点

ぜんぶ できたら　35点

# 7 き本テスト② かん字の 読み書き(2)

目ひょう時間 15分

き本の もんだいの チェックだよ。できなかった もんだいは、しっかり 学しゅうしてから かんせいテスト を やろう！

とく点 ／100点

かんれんドリル ●かん字

**1** 〈かん字の 読み〉

──線の かん字の 読み方を 書きましょう。（一つ 5点）

(1) 同じ 組。（　）（　）

(2) 交通 きそく。（　）（　）

(3) 土地。（　）（　）

(4) 日の 光。（　）

(5) 絵を かく。（　）

(6) 自分の くつ。（　）（　）

ぜんぶ できたら ／30点

**2** 〈二通りの かん字の 読み〉

──線の かん字の 読み方を 書きましょう。（一つ 5点）

(1) 走り 回る。（　）　回てん。（　）

(2) 友だちに 会う。（　）　うんどう会。（　）

ぜんぶ できたら ／20点

〈おくりがなに 気を つける かん字〉

## 3 ――線の ひらがなに 気を つけて、□に かん字を 書きましょう。（一つ5点）

(1) 線(せん)が □(まじ)わる。

(2) よく □(かんが)える。

(3) 車が □(とお)る。

(4) 答(こた)え □(あ)わせ。

ぜんぶ できたら

20点

〈かん字の 書き〉

## 4 □に かん字を 書きましょう。（一つ5点）

(1) 鳥(とり)の □(はね)。

(2) きれいな □(いろ)。

(3) 星(ほし)が □(ひか)る。

(4) 学校へ □(い)く。

(5) 山の □(てら)。

(6) □(いけ)の 魚(さかな)。

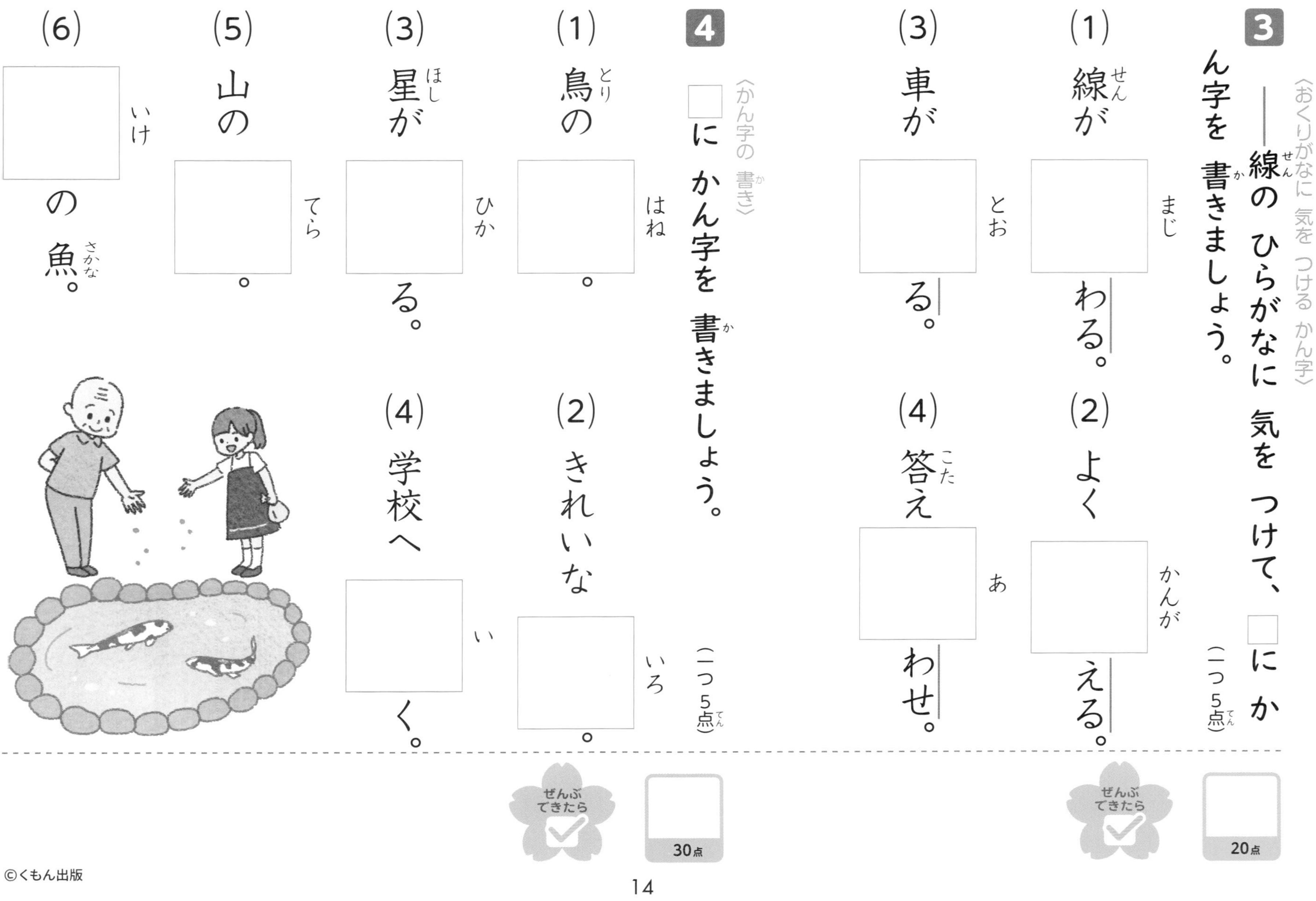

ぜんぶ できたら

30点

# 8 かんせいテスト かん字の 読み書き (2)

目ひょう時間 15分

ふくしゅうの めやす
き本テスト・かんれんドリルなどで しっかり ふくしゅうしよう！

100点 / 合かく 80点 / 0点

とく点 ／100点

かんれんドリル ●かん字



**1** □に かん字を 書きましょう。（一つ4点）

(1) □□（ゆみ・や）。

(2) □□（じ・ぶん）の 本。

(3) □□（ゆう・じん）。

(4) 白い □□（け・いと）。

(5) □□（にっ・こう）よく。

(6) □□（はん・ぶん）に する。

**2** ――線の ことばを、かん字と ひらがなで 書きましょう。（一つ5点）

(1) 海は ひろい。（　　　）

(2) 道が まじわる。（　　　）

(3) 人が とおる。（　　　）

(4) 答えを かんがえる。（　　　）

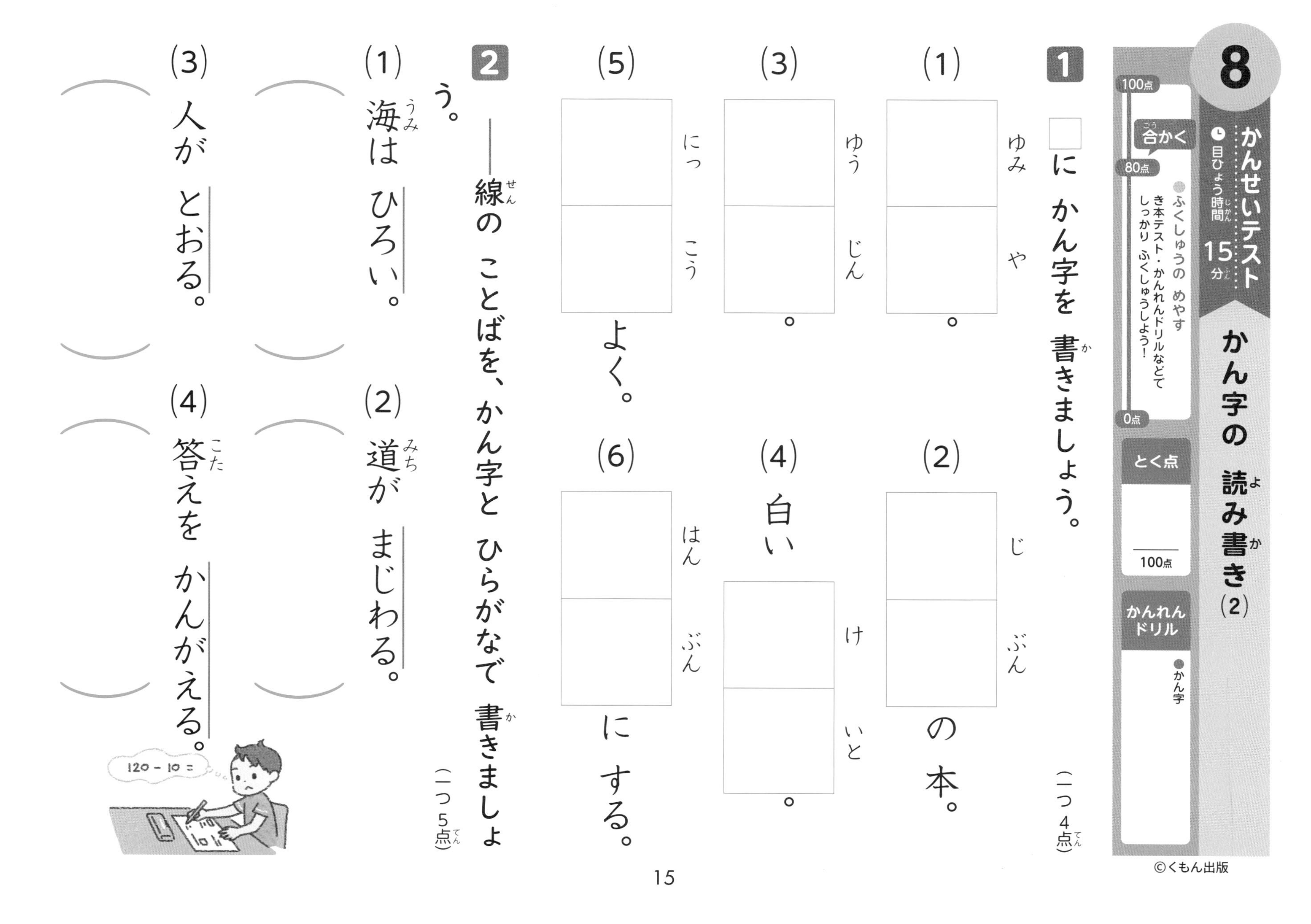

**3** 書(か)きじゅんの 正しい ほうに、○を つけましょう。（一つ4点(てん)）

(1)
- （　） ノ 二 毛
- （　） ノ 乚 毛

(2)
- （　） 丨 十 土 寺
- （　） 一 十 土 寺

(3)
- （　） 丷 䒑 半
- （　） 丷 ⺌ 半

(4)
- （　） 一 ナ 夫 春 春
- （　） 一 二 夫 春 春

**4** 形(かたち)に 気を つけて、□に かん字を 書(か)きましょう。（一つ5点(てん)）

(1)
- □(ちち)親(おや)。
- □(こう)通(つう)せい理(り)。

(2)
- 小さな □(いけ)。
- □(ち)下(か)てつ。

(3)
- □(おな)じ色(いろ)。
- うごき□(まわ)る。

(4)
- おじに □(あ)う。
- 答(こた)えが □(あ)う。

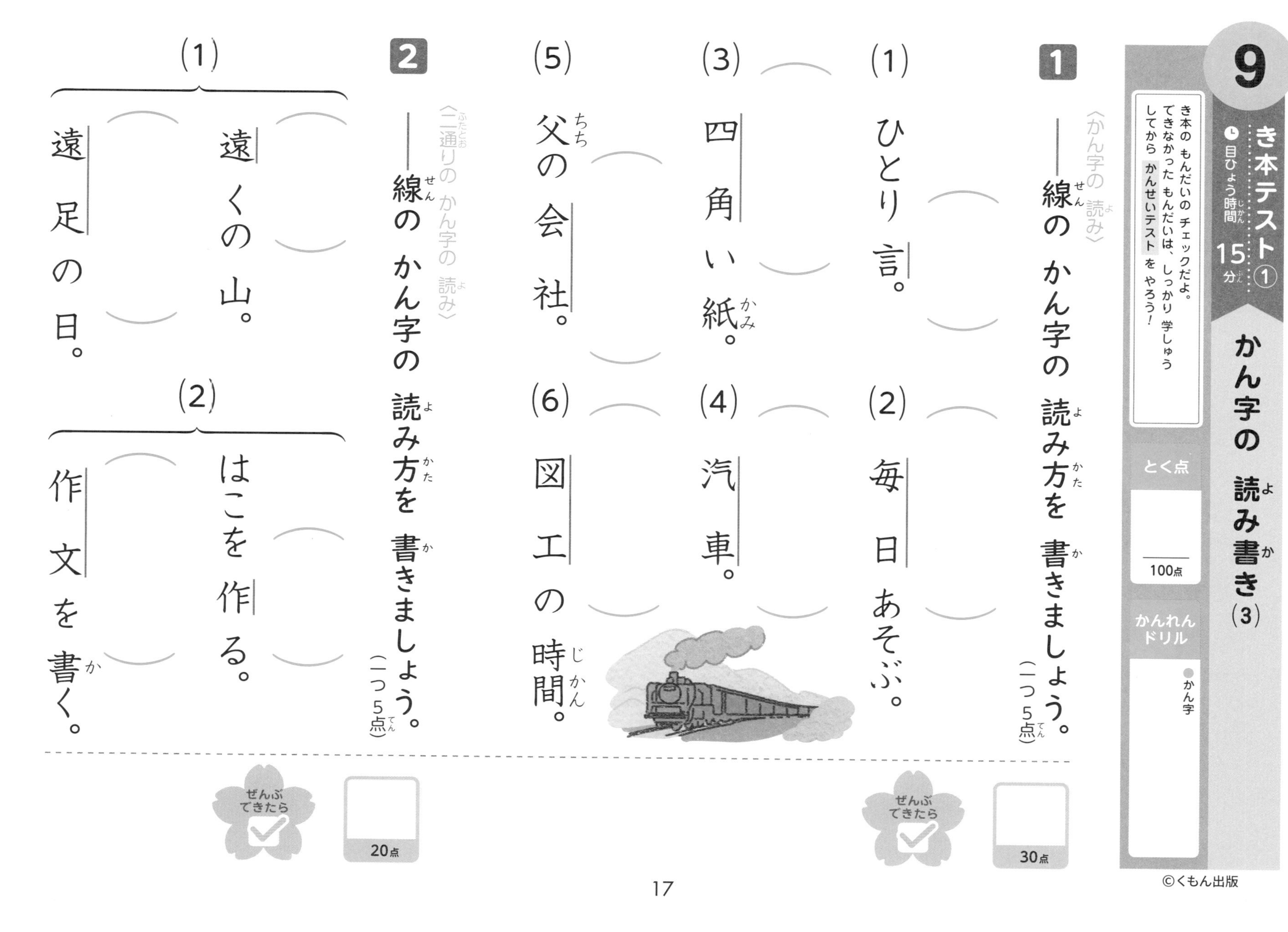

# 9 き本テスト① かん字の 読み書き(3)

目ひょう時間 15分

き本の もんだいの チェックだよ。できなかった もんだいは、しっかり 学しゅうしてから かんせいテスト を やろう!

とく点 ／100点

かんれんドリル ●かん字

**1** 〈かん字の 読み〉

——線の かん字の 読み方を 書きましょう。(一つ5点)

(1) ひとり言。

(2) 毎日 あそぶ。

(3) 四角い 紙。

(4) 汽車。

(5) 父の 会社。

(6) 図工の 時間。

30点 ぜんぶ できたら

**2** 〈二通りの かん字の 読み〉

——線の かん字の 読み方を 書きましょう。(一つ5点)

(1) 遠くの 山。／遠足の 日。

(2) はこを 作る。／作文を 書く。

20点 ぜんぶ できたら

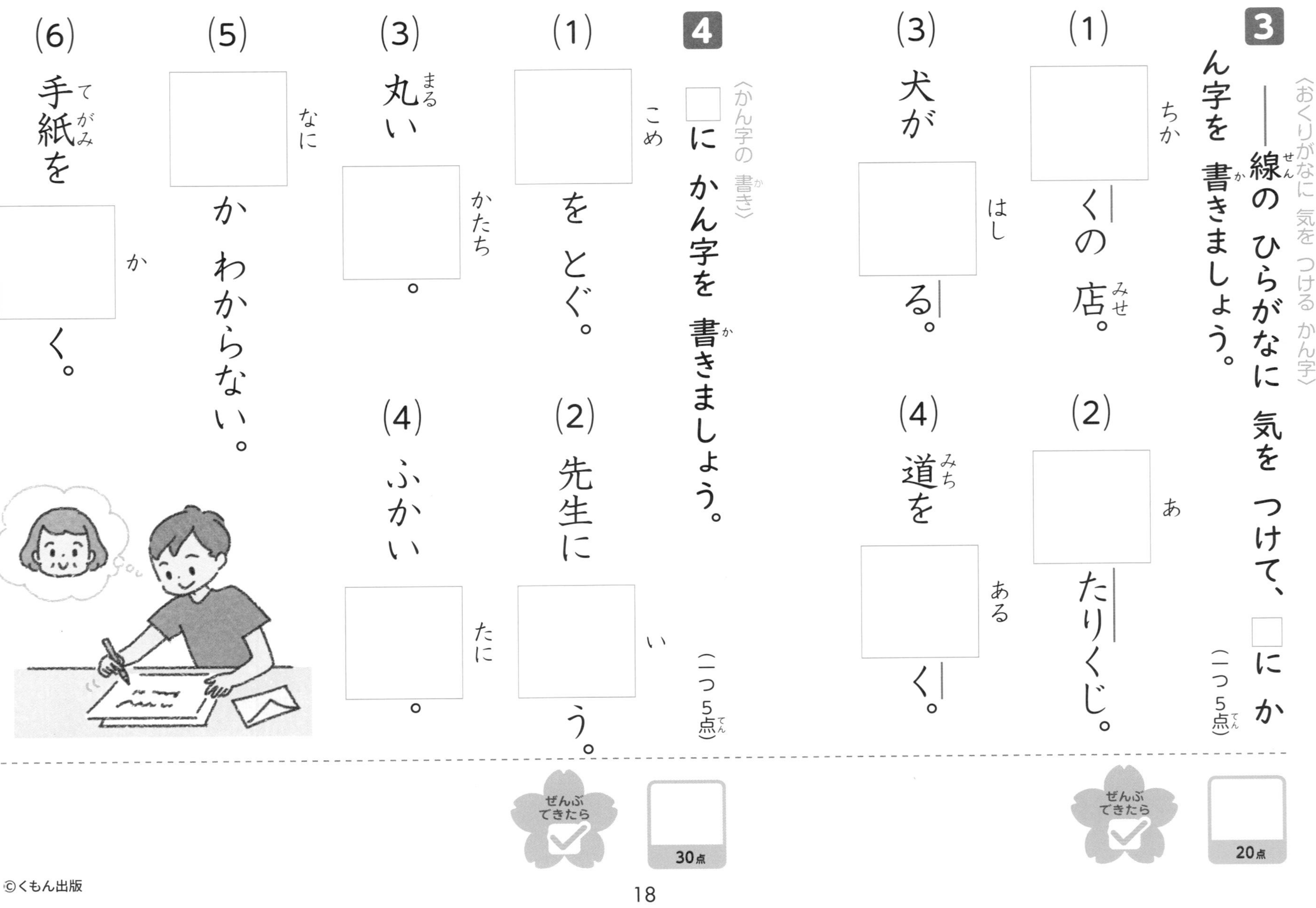

## 3 〈おくりがなに 気を つける かん字〉

――線の ひらがなに 気を つけて、□に かん字を 書きましょう。（一つ5点）

(1) □（ちか）くの 店（みせ）。

(2) □（あ）たりくじ。

(3) 犬が □（はし）る。

(4) 道（みち）を □（ある）く。

ぜんぶ できたら

20点

## 4 〈かん字の 書き〉

□に かん字を 書きましょう。（一つ5点）

(1) □（こめ）を とぐ。

(2) 先生に □（い）う。

(3) 丸（まる）い □（かたち）。

(4) ふかい □（たに）。

(5) □（なに）か わからない。

(6) 手紙（てがみ）を □（か）く。

ぜんぶ できたら

30点

# 10 き本テスト②

目ひょう時間 15分

## かん字の 読み書き(3)

き本の もんだいの チェックだよ。できなかった もんだいは、しっかり 学しゅうしてから かんせいテスト を やろう！

とく点　　/100点

かんれんドリル
●かん字

**1** 〈かん字の 読み〉

——線の かん字の 読み方を 書きましょう。（一つ 5点）

(1) 体育の日。（　　）（　　）

(2) 合計の 金がく。（　　）（　　）

(3) 来年の 春。（　　）（　　）

(4) 東京へ 行く。（　　）（　　）

(5) 科学の 本。（　　）（　　）

(6) 人里。（　　）（　　）

ぜんぶ できたら　30点

**2** 〈二通りの かん字の 読み〉

——線の かん字の 読み方を 書きましょう。（一つ 5点）

(1)
- 休みの 計画。（　　）
- 図画 工作。（　　）

(2)
- 遠い 国。（　　）
- 国語の 本。（　　）

ぜんぶ できたら　20点

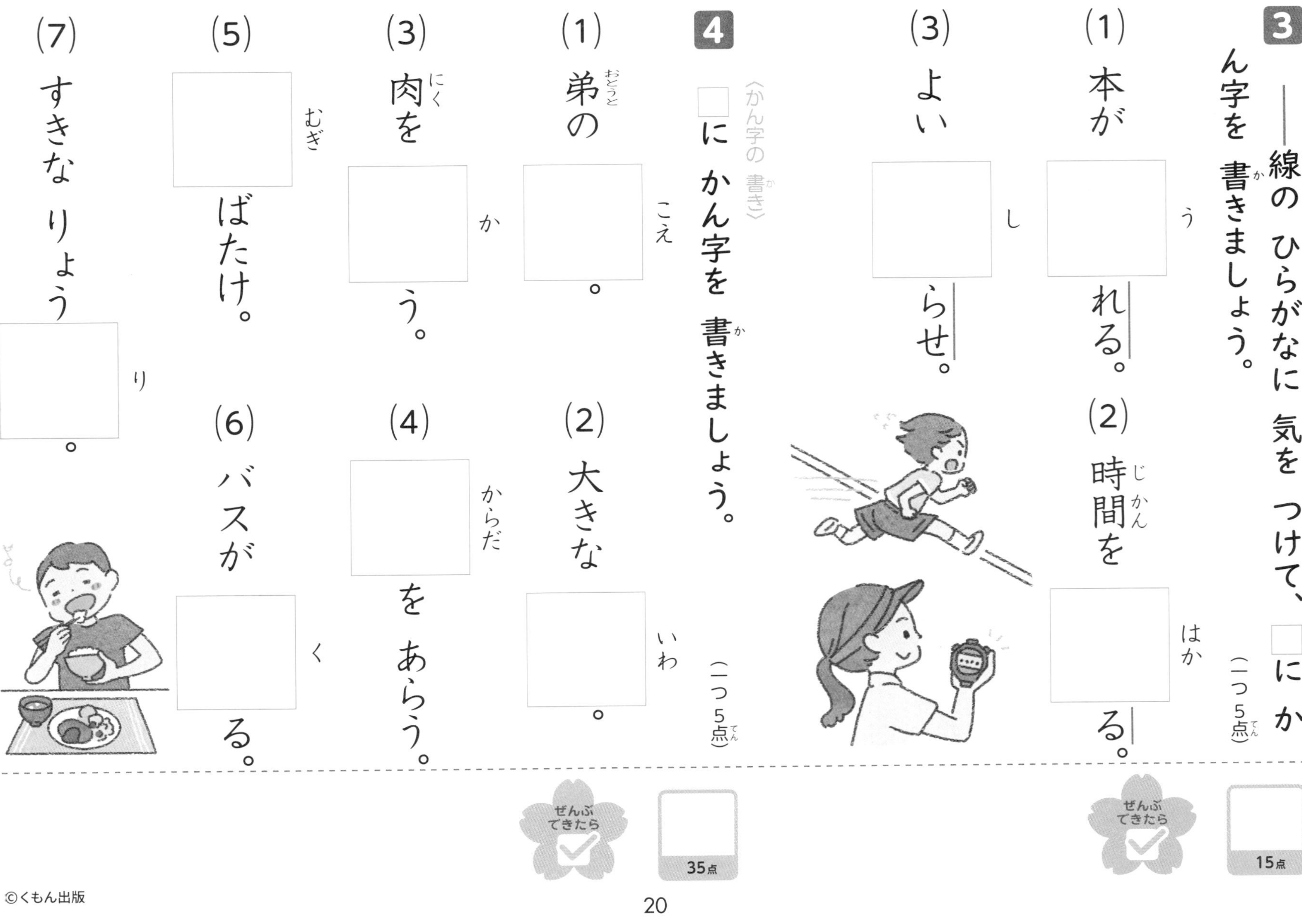

〈おくりがなに 気を つける かん字〉

**3** ――線の ひらがなに 気を つけて、□に かん字を 書きましょう。（一つ5点）

(1) 本が □(う)れる。

(2) 時間を □(はか)る。

(3) よい □(し)らせ。

15点 ぜんぶ できたら

〈かん字の 書き〉

**4** □に かん字を 書きましょう。（一つ5点）

(1) 弟の □(こえ)。

(2) 大きな □(いわ)。

(3) 肉を □(か)う。

(4) □(からだ)を あらう。

(5) □(むぎ)ばたけ。

(6) バスが □(く)る。

(7) すきな りょう □(り)。

35点 ぜんぶ できたら

11 かんせいテスト 目ひょう時間 15分

# かん字の 読み書き (3)

ふくしゅうの めやす
き本テスト・かんれんドリルなどで しっかり ふくしゅうしよう！
100点 合かく 80点 0点

とく点 ／100点

かんれんドリル ●かん字

**1** □に かん字を 書きましょう。（一つ4点）

(1) □□（し かく）い 形。

(2) □□（らい ねん）の 夏。

(3) □□（ず が）工作。

(4) □□（えん そく）。

(5) □□（がい こく）に 行く。

(6) □□（とう きょう）タワー。

**2** ――線の ことばを、かん字と ひらがなで 書きましょう。（一つ5点）

(1) 馬が はしる。（　　）

(2) 学校まで ちかい。（　　）

(3) まとに あてる。（　　）

(4) 妹に しらせる。（　　）

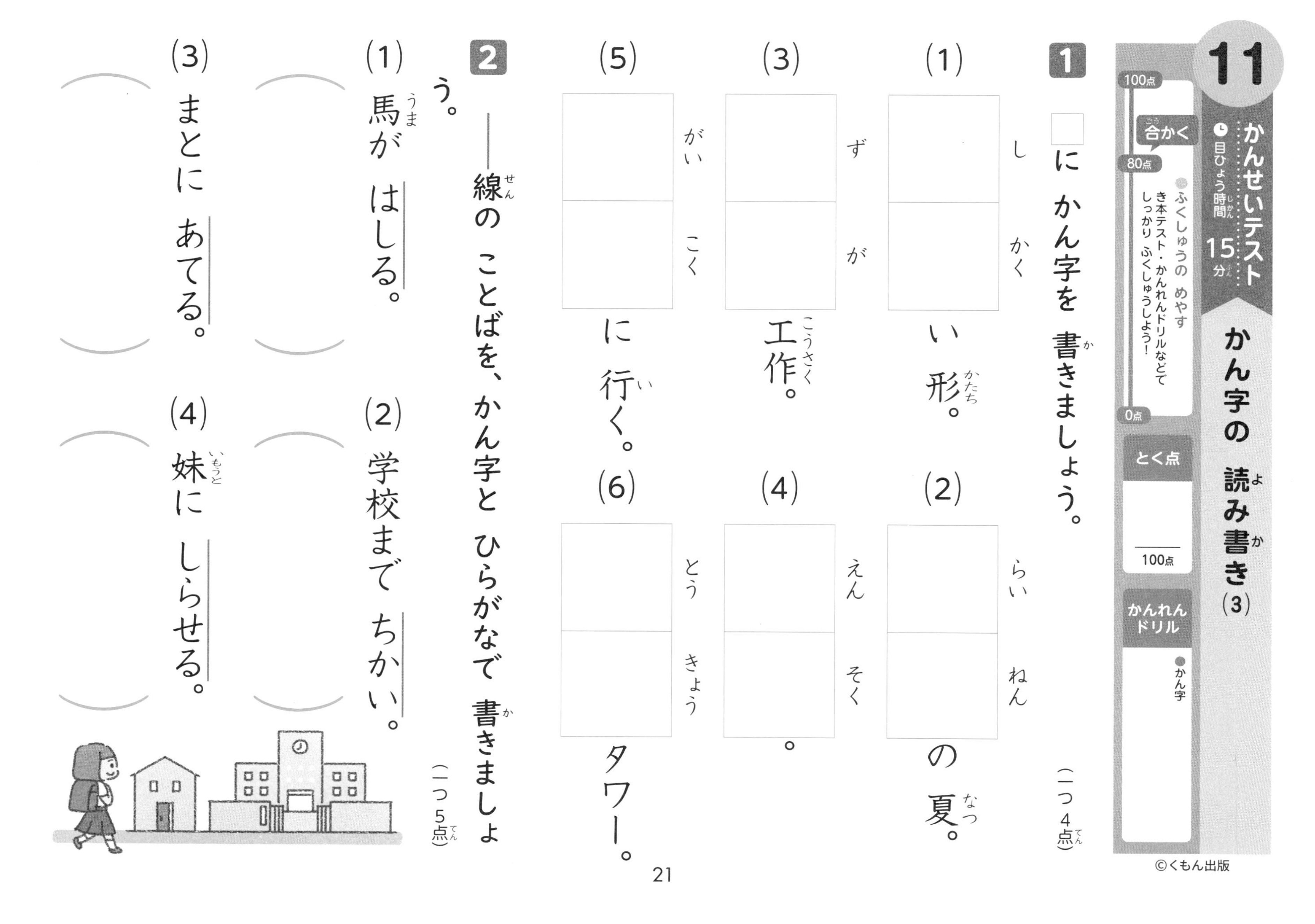

**3** 書（か）きじゅんの　正しい　ほうに、○を　つけましょう。（一つ4点（てん））

(1)
- （　）丆 丙 亩 画
- （　）丅 丌 亩 画

(2)
- （　）禾 禾 科 科 科
- （　）禾 禾 禾 禾 科

(3)
- （　）士 声 声 声
- （　）士 壳 壳 声

(4)
- （　）ヨ ヨ 亖 聿 書
- （　）ヨ 申 聿 聿 書

**4** 形（かたち）に　気を　つけて、□に　かん字を　書（か）きましょう。（一つ5点（てん））

(1)
- □（こめ）やさん。
- 兄（あに）が□（く）る。

(2)
- □（まい）週（しゅう）通（かよ）う。
- □（はは）の手。

(3)
- □（き）車（しゃ）。
- いい□（き）分（ぶん）。

(4)
- □（なに）もない。
- □（おな）じ色（いろ）。

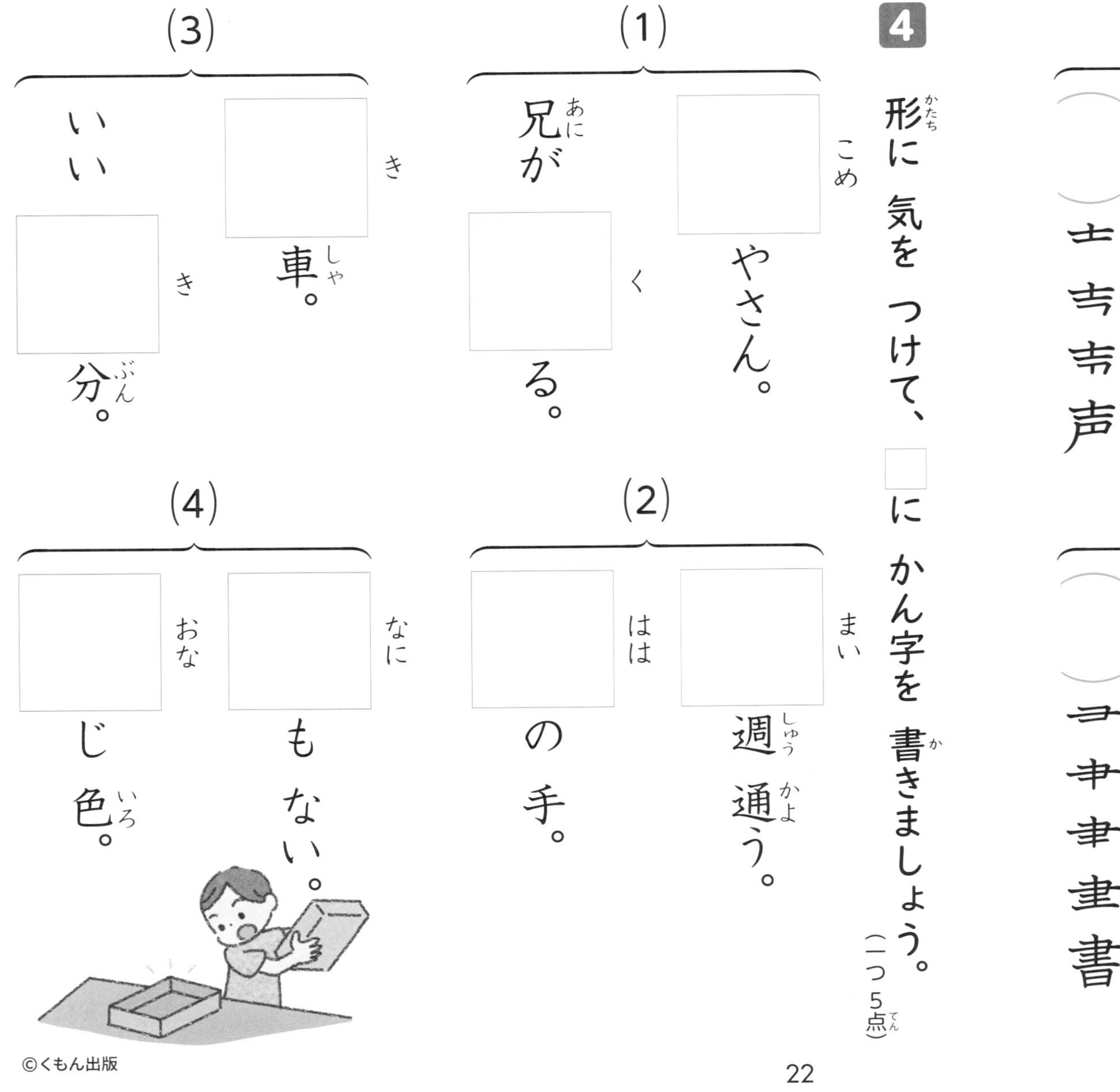

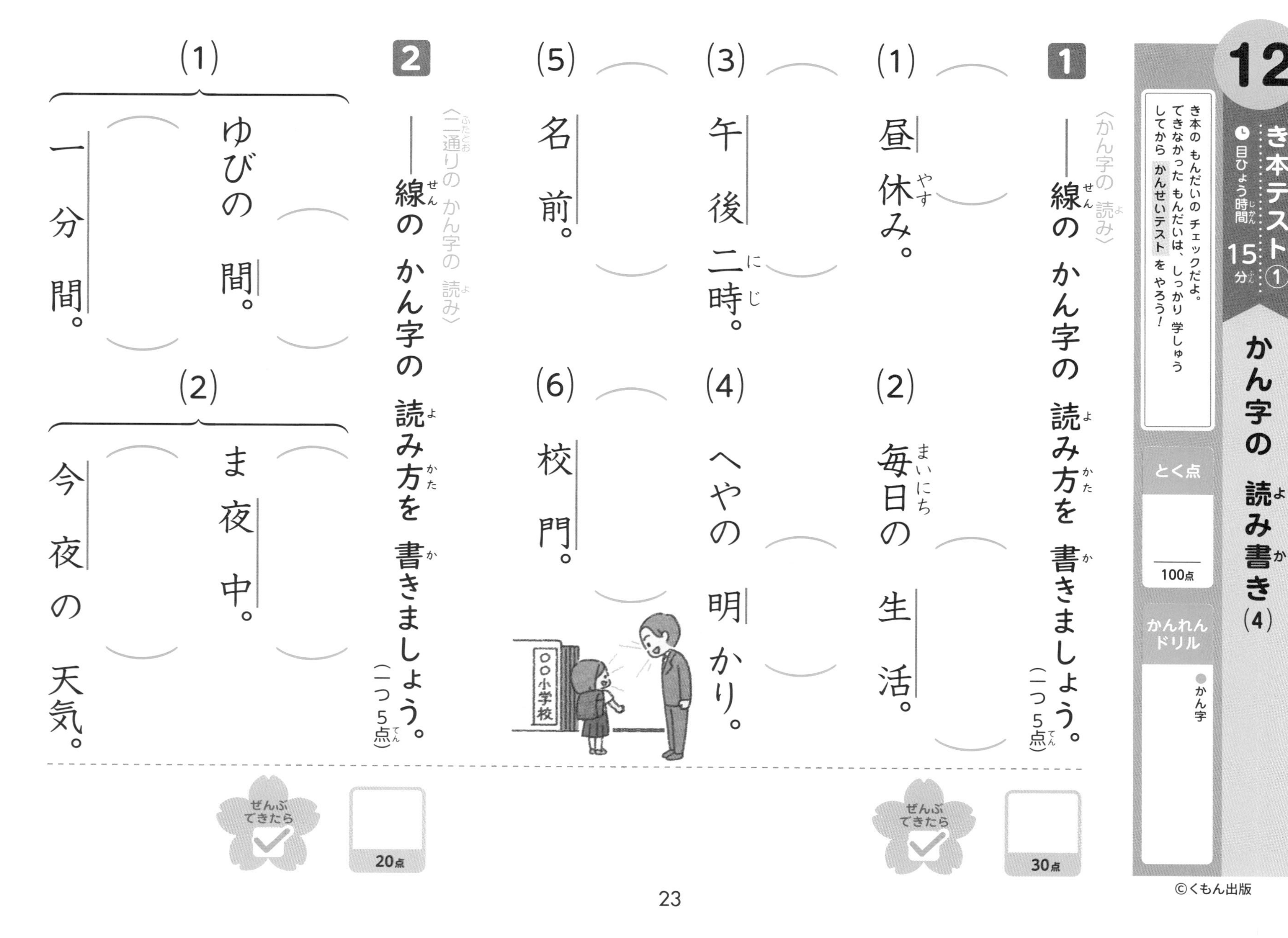

12 き本テスト①
目ひょう時間 15分

# かん字の 読み書き(4)

き本の もんだいの チェックだよ。できなかった もんだいは、しっかり 学しゅうしてから かんせいテスト を やろう！

とく点 ／100点

かんれんドリル ●かん字

**1** 〈かん字の 読み〉
――線の かん字の 読み方を 書きましょう。(一つ 5点)

(1) 昼 休み。

(2) 毎日の 生 活。

(3) 午 後 二時。

(4) へやの 明かり。

(5) 名 前。

(6) 校 門。



ぜんぶ できたら ／30点

**2** 〈二通りの かん字の 読み〉
――線の かん字の 読み方を 書きましょう。(一つ 5点)

(1) ゆびの 間。 ／ 一 分 間。

(2) ま 夜 中。 ／ 今 夜の 天気。

ぜんぶ できたら ／20点

## 3 〈おくりがなに 気を つける かん字〉

——線の ひらがなに 気を つけて、□に かん字を 書きましょう。（一つ5点）

(1) くせを □（なお）す。

(2) □（あか）るい 色。

(3) □（うし）ろの 人。

(4) 声が □（き）こえる。

20点　ぜんぶ できたら

## 4 〈かん字の 書き〉

□に かん字を 書きましょう。（一つ5点）

(1) □（なが）ぐつ。

(2) 近くの □（みせ）。

(3) □（おも）い出。

(4) □（うみ）の 生きもの。

(5) □（あさ）の 空気。

(6) □（くび）を 回す。

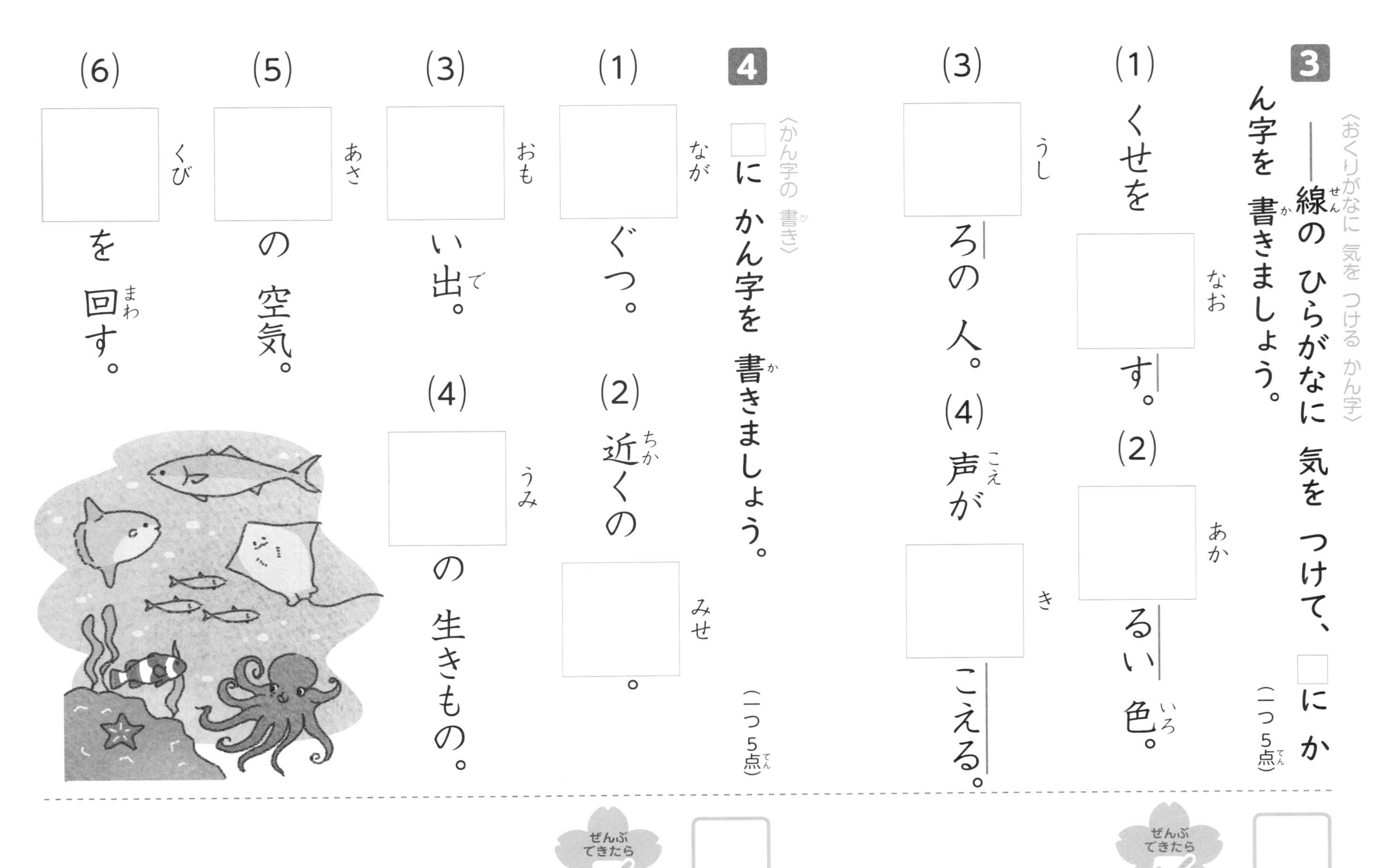

30点　ぜんぶ できたら

# 13 き本テスト② かん字の 読み書き(4)

目ひょう時間 15分

き本の もんだいの チェックだよ。できなかった もんだいは、しっかり 学しゅうしてから かんせいテスト を やろう！

とく点 　/100点

かんれんドリル ●かん字

**1** 〈かん字の 読み〉 ――線の かん字の 読み方を 書きましょう。(一つ5点)

(1) うでを 組む。（　　）

(2) 日記を 書く。（　　）（　　）

(3) 教室の 戸。（　　）（　　）

(4) 手紙。（　　）（　　）

(5) 点線。（　　）（　　）

(6) 高原の 花。（　　）（　　）

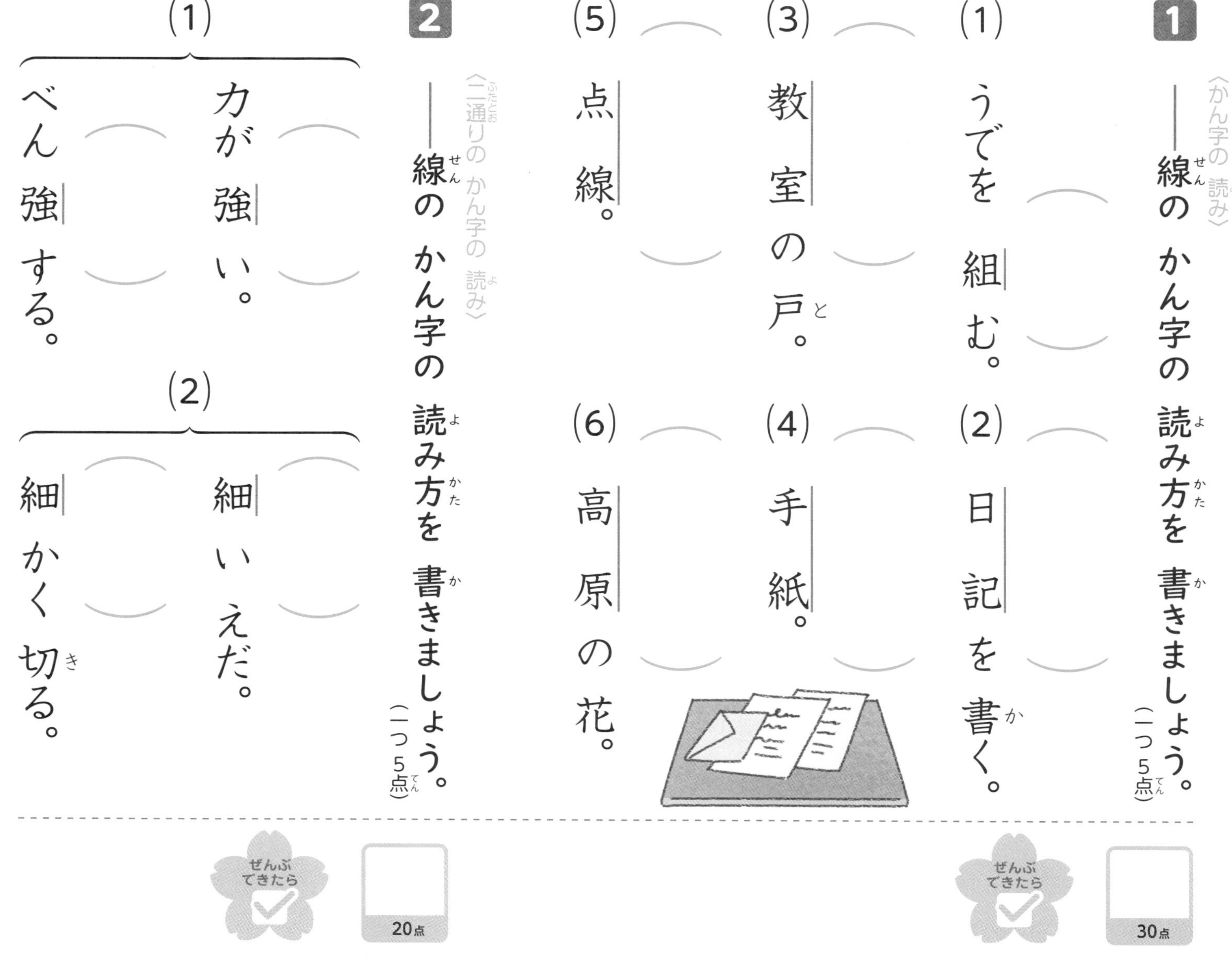

30点

ぜんぶ できたら

**2** 〈二通りの かん字の 読み〉 ――線の かん字の 読み方を 書きましょう。(一つ5点)

(1) 力が 強い。（　　）
べん強する。（　　）

(2) 細い えだ。（　　）
細かく 切る。（　　）

20点

ぜんぶ できたら

〈おくりがなに 気を つける かん字〉

**3** ——線の ひらがなに 気を つけて、□に かん字を 書きましょう。 （一つ5点）

(1) 道(みち)を □(おし)える。

(2) □(たか)い 山。

(3) 家(いえ)に □(かえ)る。

(4) パンを □(た)べる。

20点　ぜんぶ できたら

〈かん字の 書き〉

**4** □に かん字を 書きましょう。 （一つ5点）

(1) □(ほし)が 光(ひか)る。

(2) お□(ちゃ)を のむ。

(3) □(よわ)い 力。

(4) □(かぜ)が ふく。

(5) □(はら)っぱで あそぶ。

(6) □(かみ)に 絵(え)を かく。

30点　ぜんぶ できたら

14 かんせいテスト

目ひょう時間 15分

# かん字の 読み書き (4)

合かく 100点 80点 0点

ふくしゅうの めやす
き本テスト・かんれんドリルなどで しっかり ふくしゅうしよう！

とく点 ／100点

かんれんドリル
●かん字

**1** □に かん字を 書きましょう。（一つ 4点）

(1) 絵［にっ］［き］。

(2) ［きょう］［しつ］。

(3) ［こう］［げん］の 朝。

(4) ［ご］［ご］五時。

(5) 虫の ［な］［まえ］。

(6) ［こう］［もん］で まつ。

**2** ――線の ことばを、かん字と ひらがなで 書きましょう。（一つ 5点）

(1) せが たかい。
（　　　　）

(2) 字を おしえる。
（　　　　）

(3) あかるい 空。
（　　　　）

(4) 音が きこえる。
（　　　　）

## 3 書き(か)じゅんの 正しい ほうに、○を つけましょう。（一つ4点(てん)）

(1)
- （　） 一 Γ 巨 長
- （　） 丨 Γ 巨 長

(2)
- （　） ㄱ コ 尸 昏 昼
- （　） ノ 厂 尸 昏 昼

(3)
- （　） 一 十 艹 茶
- （　） 丶 丷 艹 茶

(4)
- （　） 一 厂 厈 盾 原
- （　） ノ 厂 厈 盾 原

## 4 形(かたち)に 気を つけて、□に かん字を 書き(か)ましょう。（一つ5点(てん)）

(1)
- 正(せい)□(もん)。
- 三分(さんぷん)□(かん)。

(2)
- 学校での 生(せい)□(かつ)。
- □(かい)水(すい)よく。

(3)
- □(かみ)しばい。
- □(ほそ)い 道(みち)。

(4)
- 二年二(に)□(くみ)。
- □(せん)を 引(ひ)く。

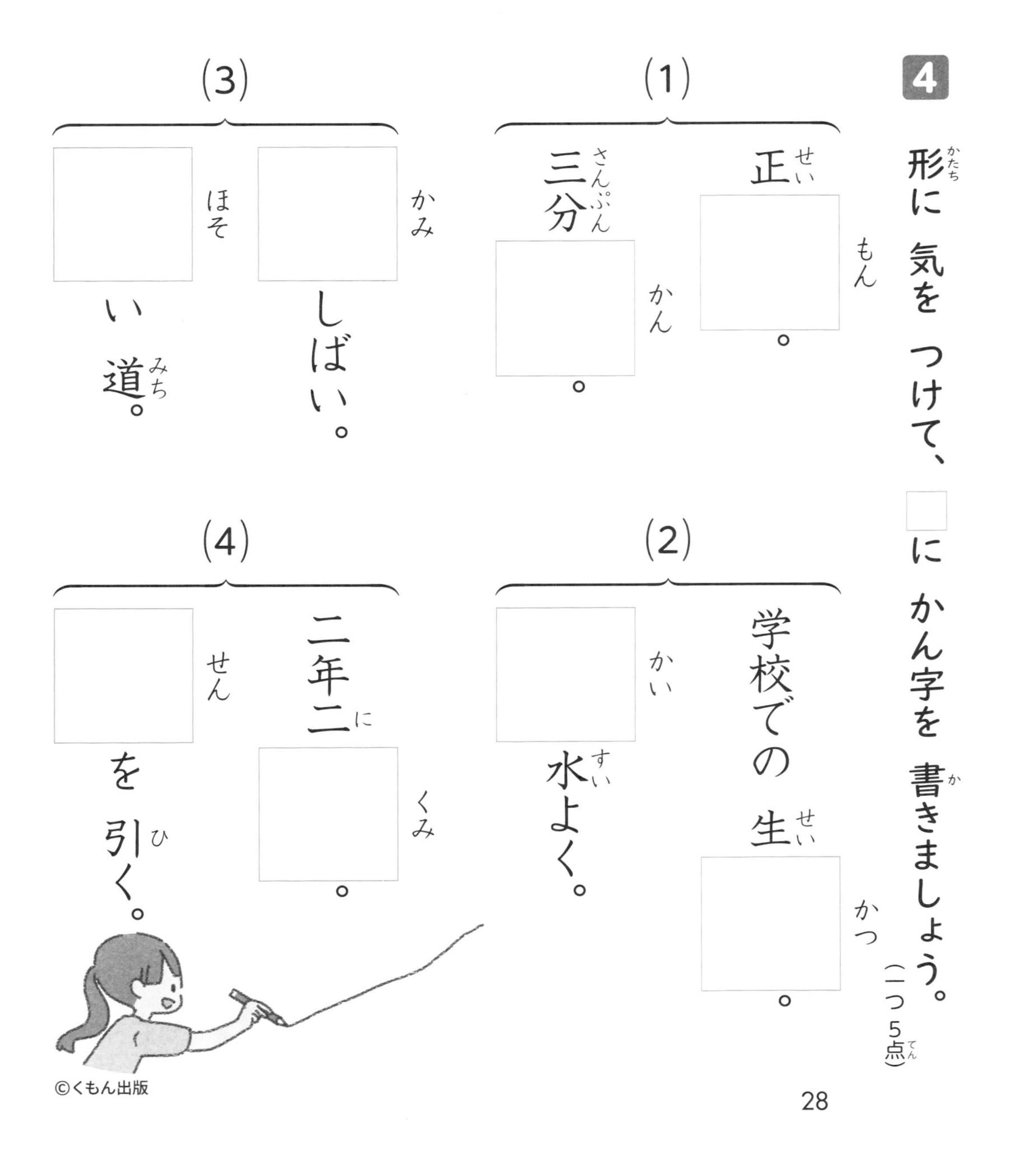

# 15 き本テスト① かん字の 読み書き(5)

目ひょう時間 15分

き本の もんだいの チェックだよ。できなかった もんだいは、しっかり 学しゅうしてから かんせいテスト を やろう！

とく点 ／100点

かんれんドリル ●かん字

**1** 〈かん字の 読み〉

——線の かん字の 読み方を 書きましょう。（一つ5点）

(1) 虫が 鳴く。（　）

(2) 赤い 風船。（　）

(3) 来週。（　）

(4) 時間が たつ。（　）

(5) 黄色い 花。（　）

(6) 野原。（　）

ぜんぶできたら　30点

**2** 〈二通りの かん字の 読み〉

——線の かん字の 読み方を 書きましょう。（一つ5点）

(1)
大きな 家。（　）
家ぞく。（　）

(2)
町の 広場。（　）
うんどう場。（　）

ぜんぶできたら　20点

〈おくりがなに 気を つける かん字〉

**3** ――線の ひらがなに 気を つけて、□に かん字を 書きましょう。（一つ5点）

(1) □（は）れた 日。

(2) 正しい □（こた）え。

(3) □（くろ）い かさ。

(4) かねを □（な）らす。

ぜんぶ できたら　20点

〈かん字の 書き〉

**4** □に かん字を 書きましょう。（一つ5点）

(1) 水（すい）□（よう）日（び）。

(2) □（さかな）を つる。

(3) □（ゆき）が ふる。

(4) 白い □（くも）。

(5) □（ふね）に のる。

(6) □（とり）が とぶ。

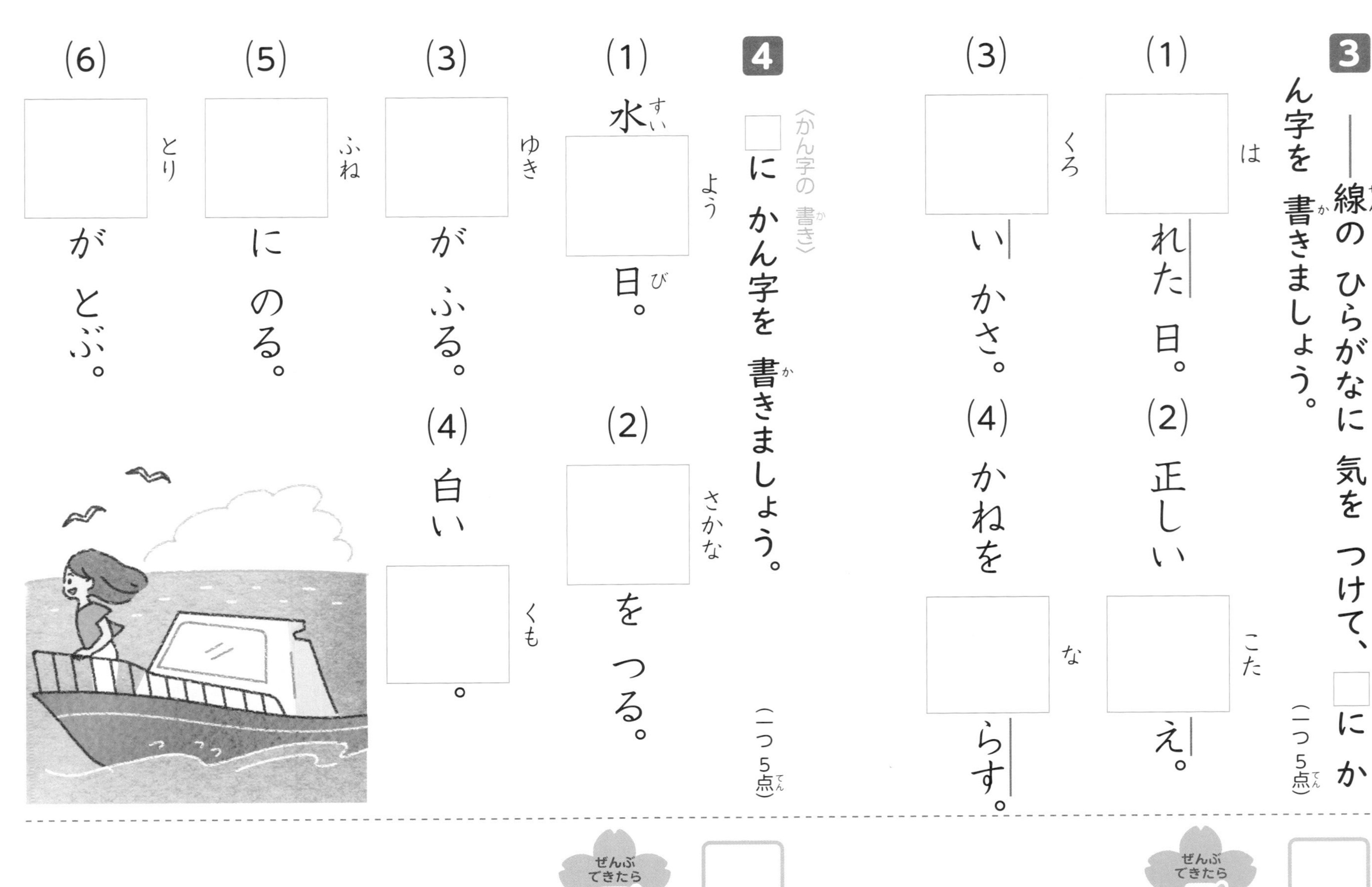

ぜんぶ できたら　30点

# 16 き本テスト② かん字の 読み書き(5)

目ひょう時間 15分

き本の もんだいの チェックだよ。できなかった もんだいは、しっかり 学しゅうしてから かんせいテスト を やろう！

とく点　　/100点

かんれんドリル
●かん字



〈かん字の 読み〉

**1** ――線の かん字の 読み方を 書きましょう。（一つ5点）

(1) 歌いはじめる。（　　）

(2) 当番の 日。（　　）（　　）

(3) 音楽。（　　）（　　）

(4) 新聞。（　　）（　　）

(5) 顔を あらう。（　　）

(6) 電気。（　　）（　　）

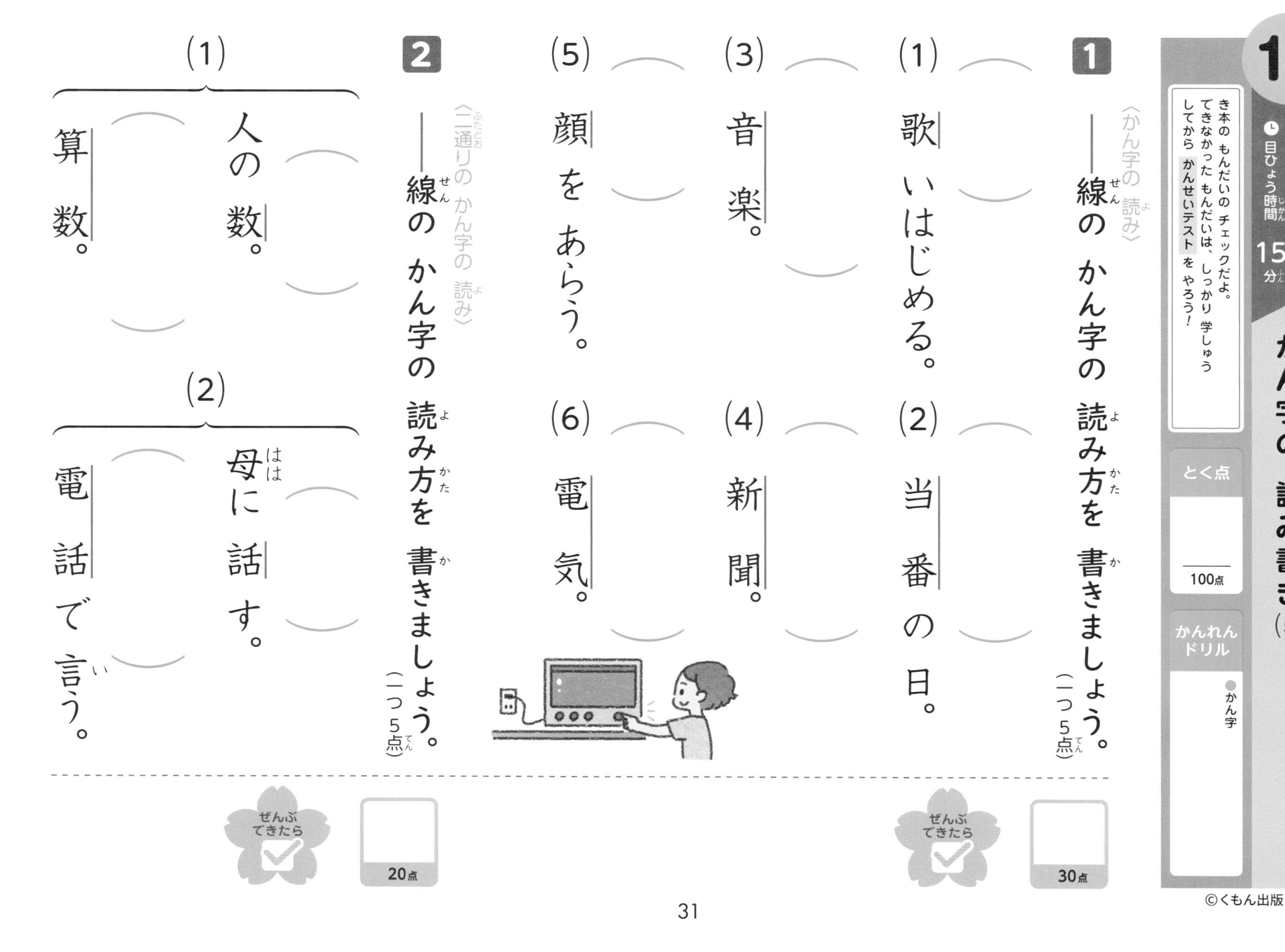

ぜんぶできたら　30点

〈二通りの かん字の 読み〉

**2** ――線の かん字の 読み方を 書きましょう。（一つ5点）

(1) 人の 数。（　　）／算数。（　　）

(2) 母に 話す。（　　）／電話で 言う。（　　）

ぜんぶできたら　20点

## 3 〈おくりがなに 気を つける かん字〉

――線の ひらがなに 気を つけて、□に かん字を 書きましょう。（一つ5点）

(1) □（あたら）しいくつ。

(2) □（たの）しくなる。

(3) 元気に □（うた）う。

(4) □（かぞ）え直す。

ぜんぶできたら

20点

## 4 〈かん字の 書き〉

□に かん字を 書きましょう。（一つ5点）

(1) 広い □（みち）。

(2) 先生の □（はなし）。

(3) 本を □（よ）む。

(4) □（あたま）がいたい。

(5) □（おや）と子。

(6) わらった □（かお）。

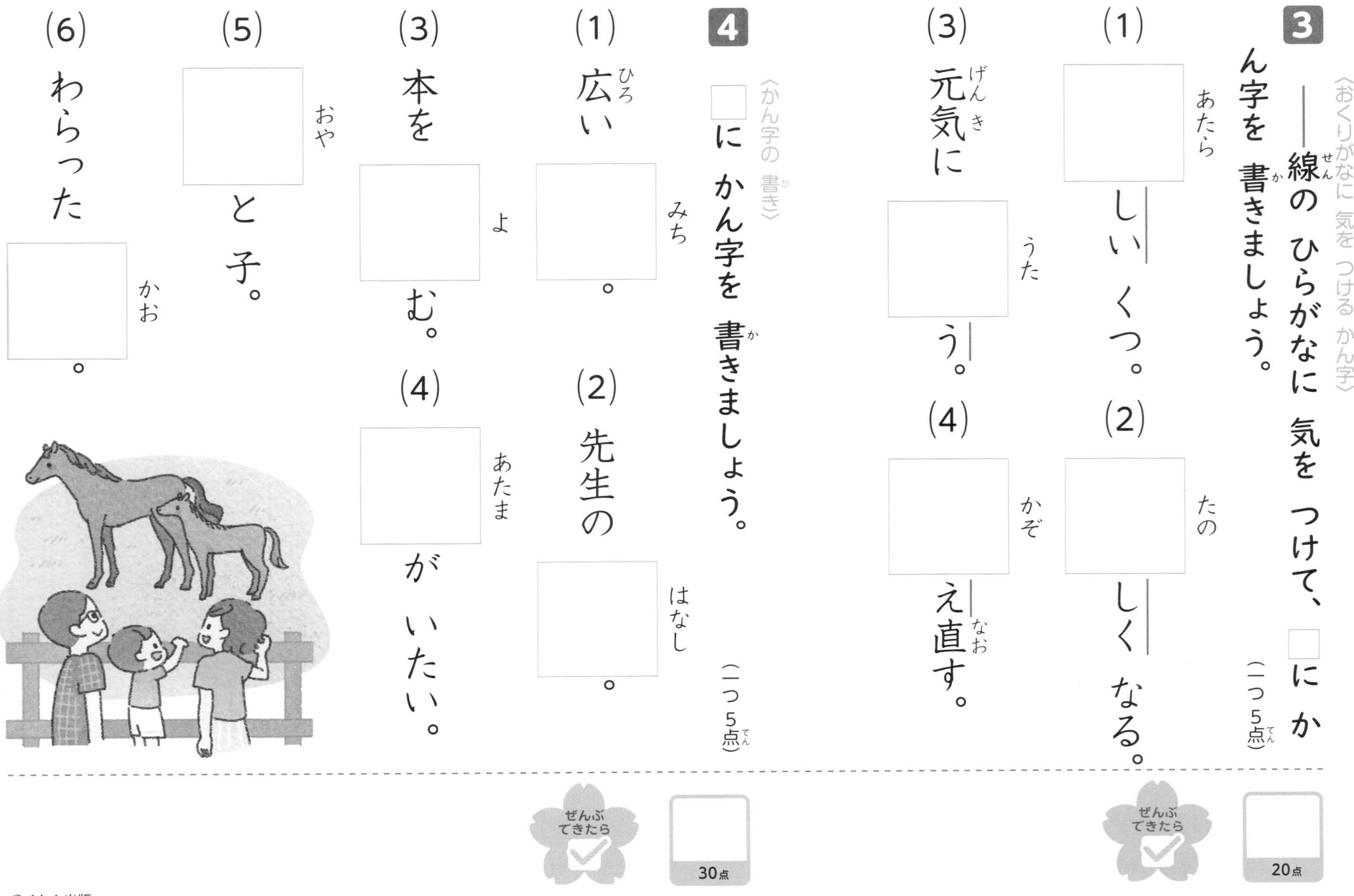

ぜんぶできたら

30点

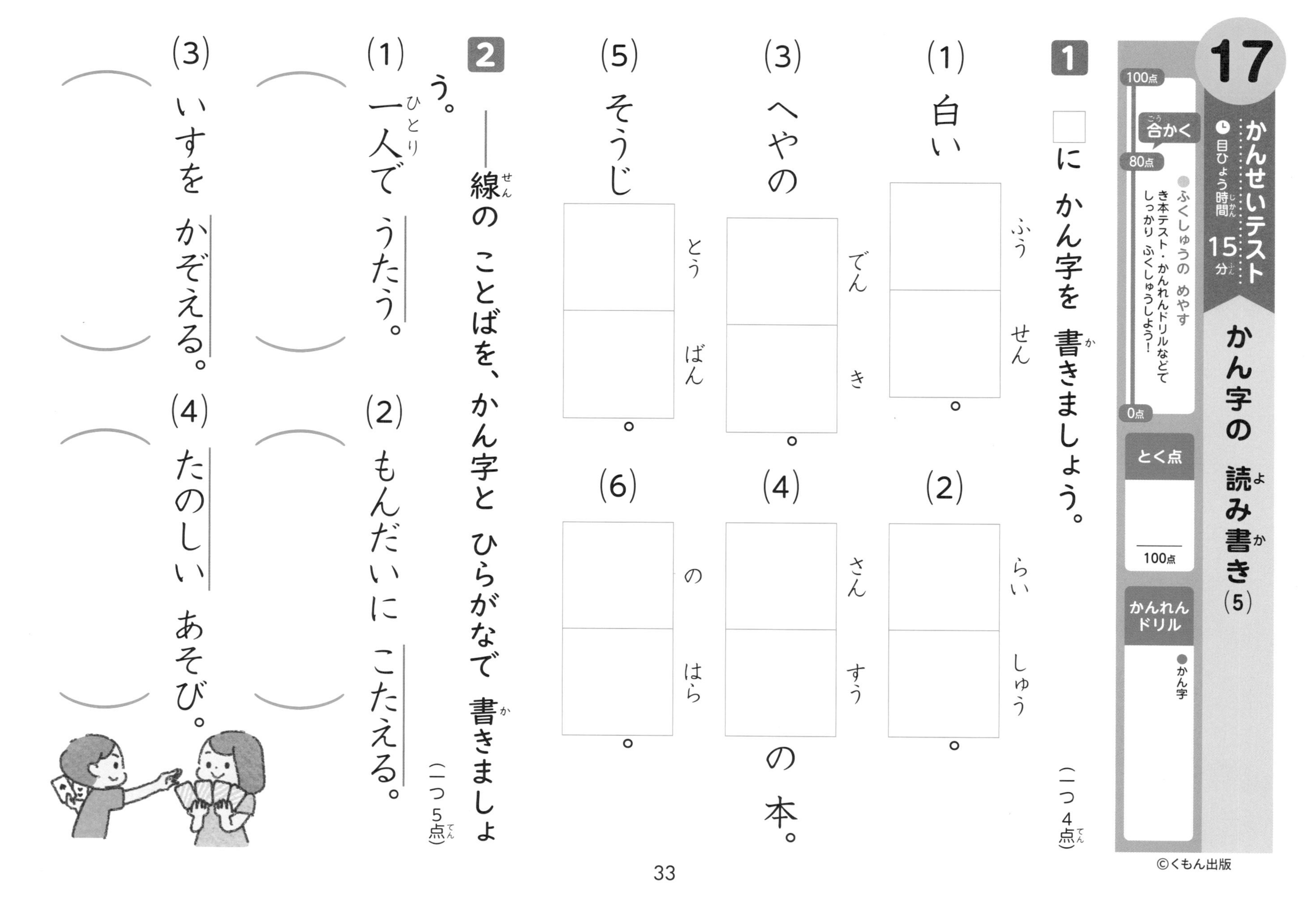



目ひょう時間（じかん） 15分（ぷん）

合（ごう）かく 80点 / 100点 / 0点

ふくしゅうの めやす
き本テスト・かんれんドリルなどで しっかり ふくしゅうしよう！

とく点 ／100点

かんれんドリル ●かん字

# かん字の 読（よ）み書（か）き (5)

**1** □に かん字を 書（か）きましょう。（一つ 4点（てん））

(1) 白い［ふう］［せん］。

(2) ［らい］［しゅう］。

(3) へやの［でん］［き］。

(4) ［さん］［すう］の 本。

(5) そうじ［とう］［ばん］。

(6) ［の］［はら］。

**2** ――線（せん）の ことばを、かん字と ひらがなで 書（か）きましょう。（一つ 5点（てん））

(1) 一人（ひとり）で うたう。（　　）

(2) もんだいに こたえる。（　　）

(3) いすを かぞえる。（　　）

(4) たのしい あそび。（　　）

**3** 書き（か）じゅんの 正しい ほうに、○を つけましょう。（一つ 4点（てん））

(1)
（　）丆 户 鳥 鳥
（　）勹 白 鳥 鳥

(2)
（　）冂 冋 甲 甲 黒
（　）冂 日 甲 黒

(3)
（　）言 訁 訐 訐 話
（　）言 訂 訐 話

(4)
（　）⺌ 䒑 首 道 道
（　）辶 䢊 逆 道 道

**4** 形（かたち）に 気を つけて、□に かん字を 書き（か）ましょう。（一つ 5点（てん））

(1)
二（に）□（じ）間（かん）。
□（は）れた 空。

(2)
白い □（ゆき）。
□（くも）が うかぶ。

(3)
□（あたら）しい 車。
□（おや）ゆび。

(4)
□（あたま）を ふる。
なき □（がお）。

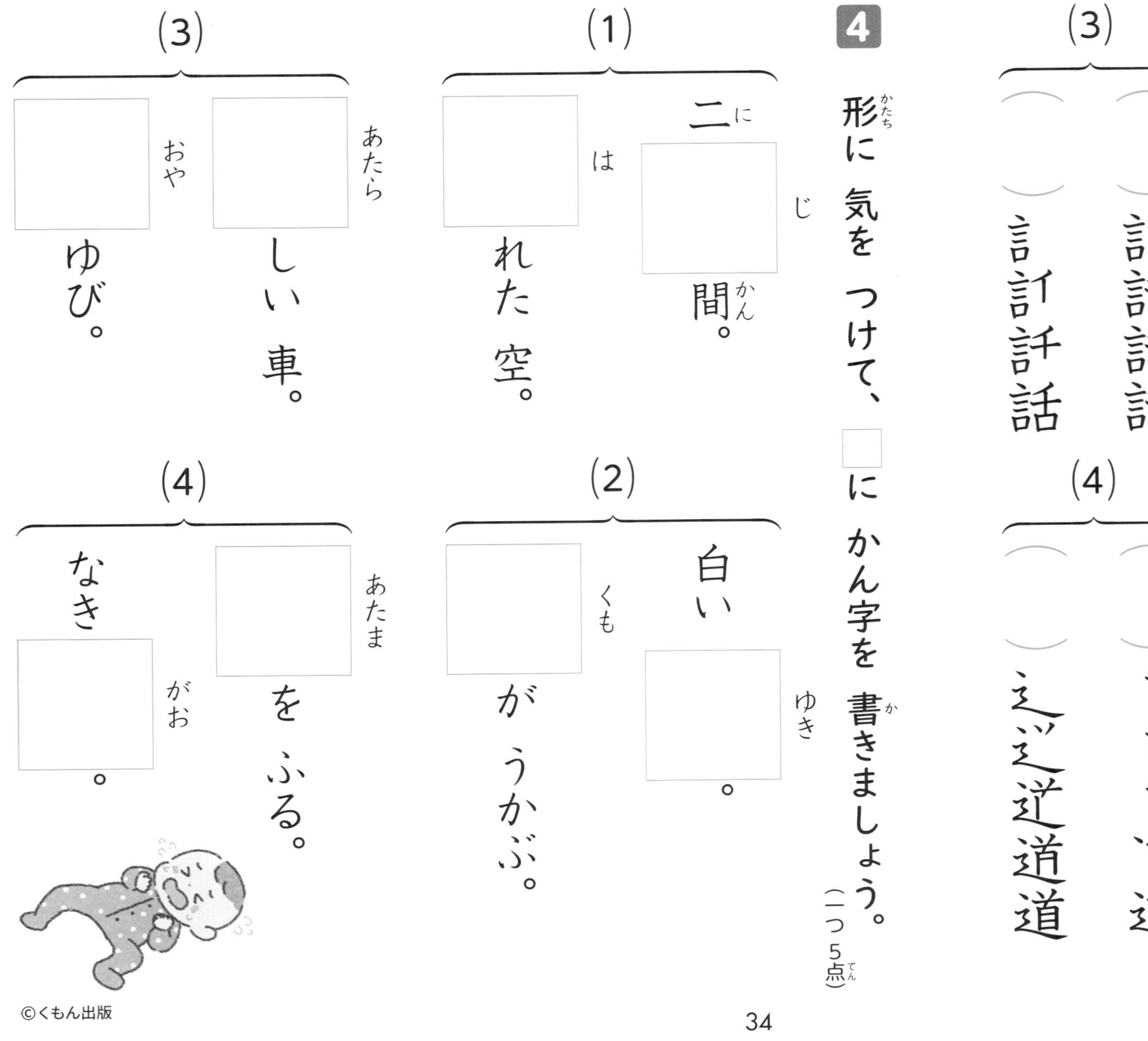

# 18 き本テスト①

目ひょう時間 20分

## ことばの きまり(1)
・なかまの ことば

き本の もんだいの チェックだよ。できなかった もんだいは、しっかり 学しゅうしてから かんせいテスト を やろう！

とく点 ／100点

かんれんドリル ●言葉と文 11・12ページ

**1** 〈まとめて 言う 言い方〉

〔　〕の なかまを ひとまとめに した ことばを、後の □ から えらんで 書きましょう。（一つ7点）

(1) 〔馬・うさぎ さる・きりん〕……（　　）

(2) 〔ピアノ・ふえ たいこ・ギター〕…（　　）

鳥・がっき・どうぶつ

14点

**2** 〈なかまの ことば〉

上の ことばに 合う なかまの ことばを、下から えらんで ―― 線で むすびましょう。（一つ6点）

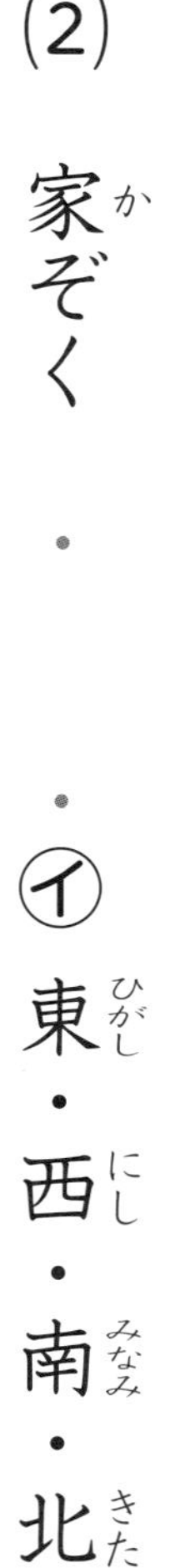

(1) 方角 ・　　・ ㋐ 春・夏・秋・冬

(2) 家ぞく ・　　・ ㋑ 東・西・南・北

(3) たてもの ・　　・ ㋒ 父・母・兄・妹

(4) きせつ ・　　・ ㋓ 手・足・顔・頭

(5) 体 ・　　・ ㋔ 家・寺・工場

30点

〈まとめて 言う 言い方〉

**3** □に 合う ことばを、後の □から えらんで 書きましょう。（一つ8点）

バス・船・電車・トラック

ぜんぶ できたら

24点

〈じゅんじょを あらわす ことば〉

**4** （　）に 合う ことばを 書きましょう。（一つ8点）

(1) 朝→昼→夕方→（　　）

(2) きょう→（　　）→あさって

(3) きょ年→ことし→（　　）

(4) （　　）→中学校→高校

ぜんぶ できたら

32点

# 19 き本テスト②

目ひょう時間（じかん） 20分（ぷん）

## ことばの きまり(1)

・はんたいの ことば

き本の もんだいの チェックだよ。できなかった もんだいは、しっかり 学しゅうしてから かんせいテスト を やろう！

とく点　　/100点

かんれんドリル
●言葉と文　17～20ページ

〈うごきを あらわす はんたいの ことば〉

**1** ――線（せん）の ことばと はんたいの いみの ことばで、文に 合（あ）う ほうに、○を つけましょう。（一つ4点（てん））

(1) 気おんが 上がる。
　（　）おちる
　（　）下がる

(2) まどを あける。
　（　）しめる
　（　）とじる

(3) ふくを ぬぐ。
　（　）きる
　（　）はく

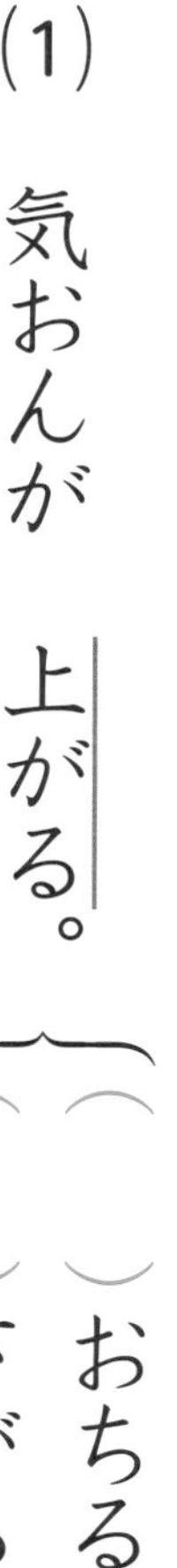

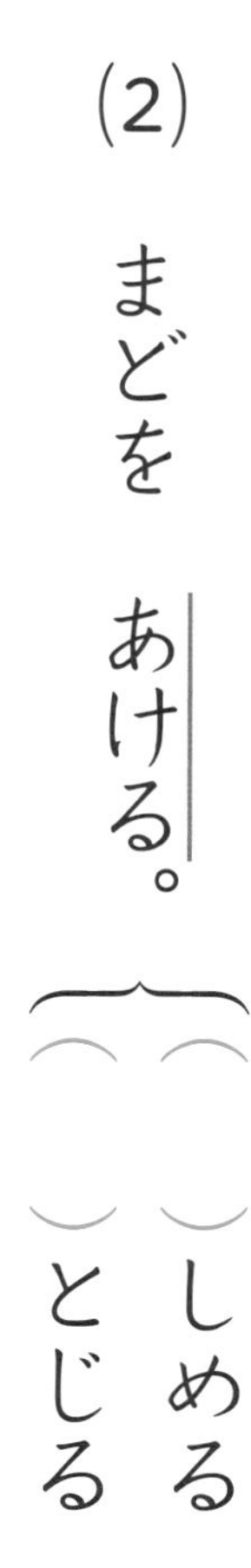

〈うごきを あらわす はんたいの ことば〉

**2** □の ことばと はんたいの いみの ことばを 下から えらんで、●―●線（せん）で むすびましょう。（一つ7点（てん））

(1) とびらを おす。　・　・ ㋐ おわる
(2) ごみを すてる。　・　・ ㋑ 引（ひ）く
(3) 会（かい）が はじまる。　・　・ ㋒ 立つ
(4) ゆかに すわる。　・　・ ㋓ ひろう

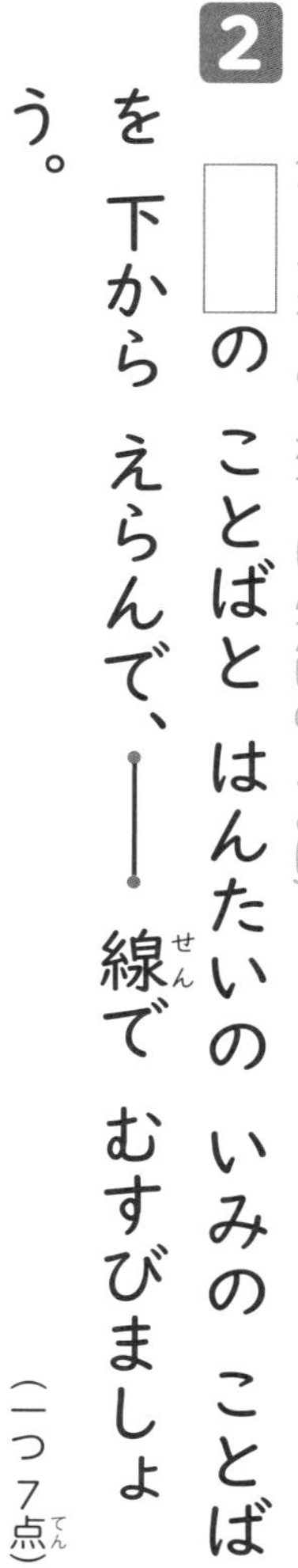

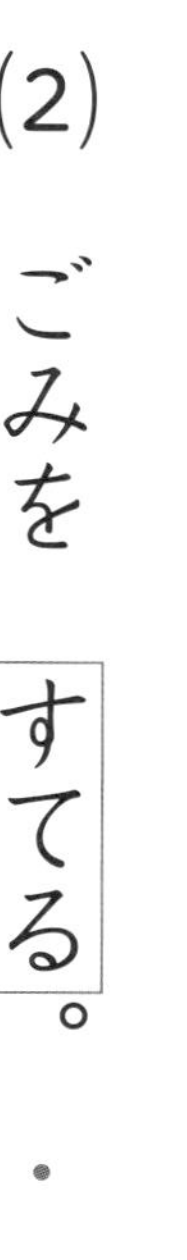

12点　28点

ぜんぶ できたら

言葉と文 17～20ページ

## 3 はんたいの いみの ことばを、後(あと)の [　] から えらんで 書(か)きましょう。

〈ようすを あらわす はんたいの ことば〉

（一つ7点）

(1) 古(ふる)い ↕ （　　　　）

(2) 広(ひろ)い ↕ （　　　　）

(3) 多(おお)い ↕ （　　　　）

(4) 遠(とお)い ↕ （　　　　）

少(すく)ない・せまい・新(あたら)しい・近(ちか)い

28点

## 4 上の 絵(え)を 見て、（　）に 合(あ)う はんたいの いみの ことばを 書(か)きましょう。

〈ようすを あらわす はんたいの ことば〉

（一つ8点）

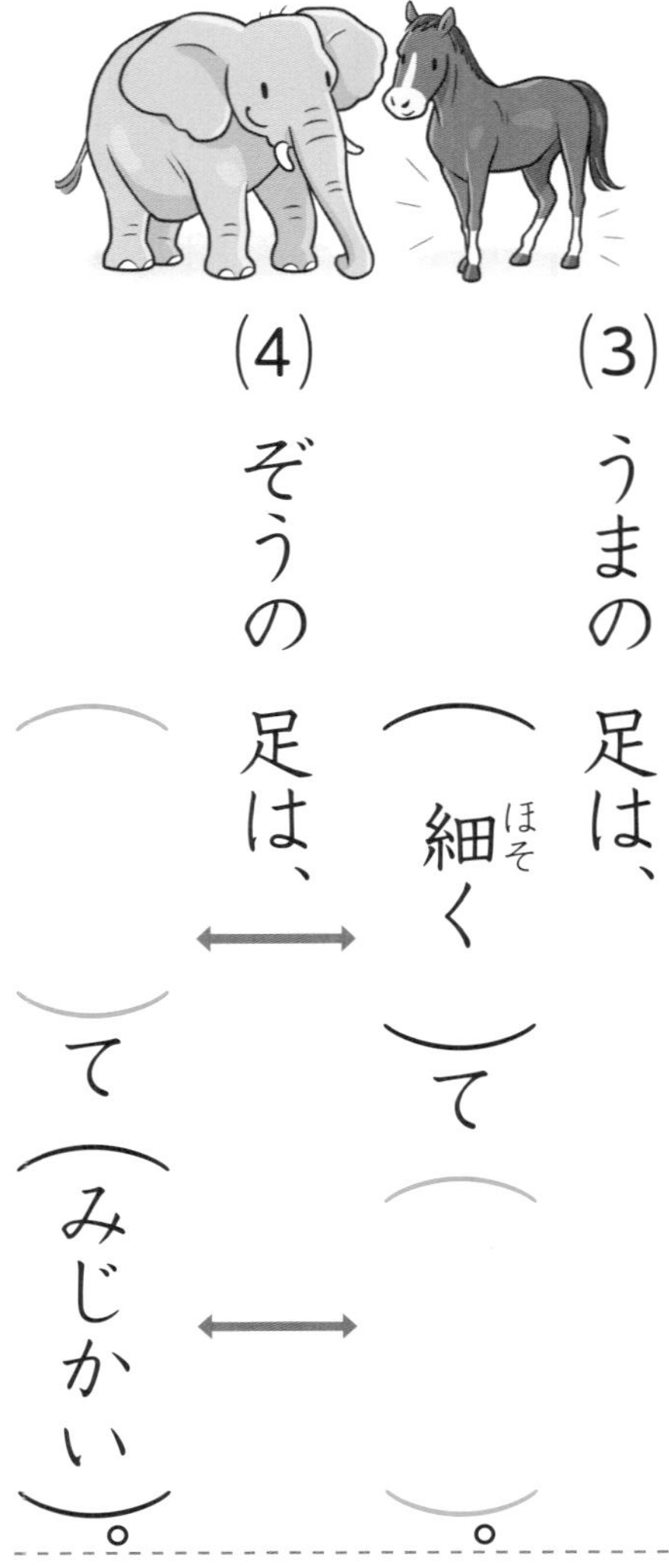

(1) くまは、（大きく）て（　　　　）。 ↔ (2) ねこは、（　　　　）て（かるい）。

(3) うまの 足は、（細(ほそ)く）て（　　　　）。 ↔ (4) ぞうの 足は、（　　　　）て（みじかい）。

32点

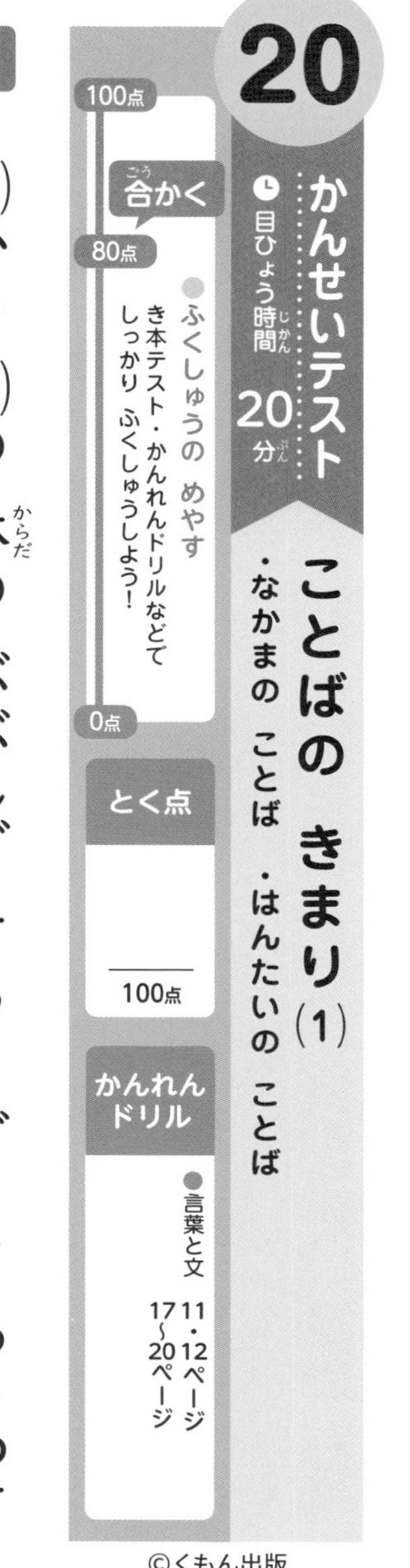

# 20 かんせいテスト　ことばの きまり(1)

目ひょう時間(じかん) 20分(ぷん)

・なかまの ことば　・はんたいの ことば

ふくしゅうの めやす
き本テスト・かんれんドリルなどで しっかり ふくしゅうしよう！

100点　合(ごう)かく　80点　0点

とく点　　／100点

かんれんドリル
●言葉と文 1711・12ページ〜2012ページ

**1** (1)から(4)の 体(からだ)の ぶぶんで する うごきを あらわす ことばを、上の ☐ から 二つずつ えらんで 書(か)きましょう。(一つ 3点(てん))

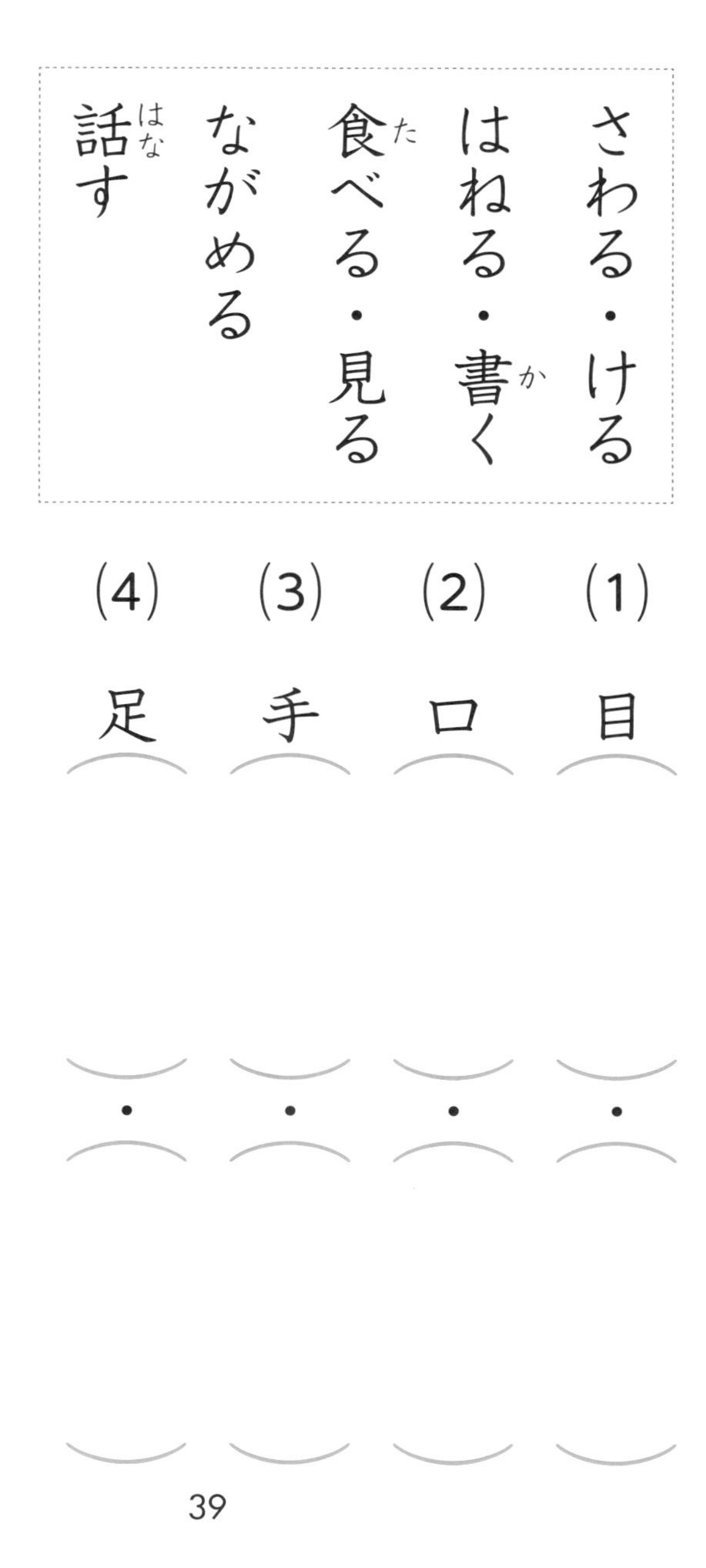

さわる・ける
はねる・書(か)く
食(た)べる・見る
ながめる
話(はな)す

(1) 目（　　　）・（　　　）

(2) 口（　　　）・（　　　）

(3) 手（　　　）・（　　　）

(4) 足（　　　）・（　　　）

**2** 〔　〕から、ちがう なかまの ことばを 一つずつ えらんで 書(か)きましょう。(一つ 8点(てん))

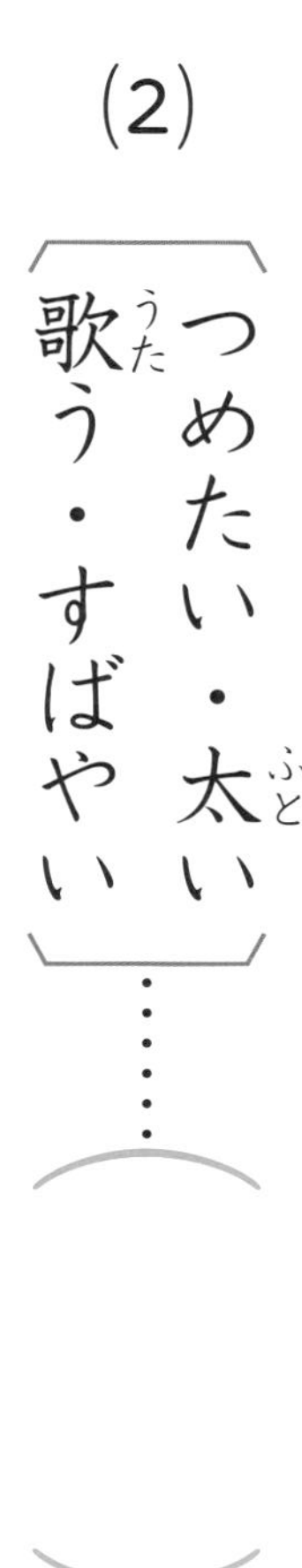

(1) 〔さくら・はたけ ばら・たんぽぽ〕……（　　　）

(2) 〔つめたい・太(ふと)い 歌(うた)う・すばやい〕……（　　　）

(3) 〔子ども・おとな 赤ちゃん・学校〕……（　　　）

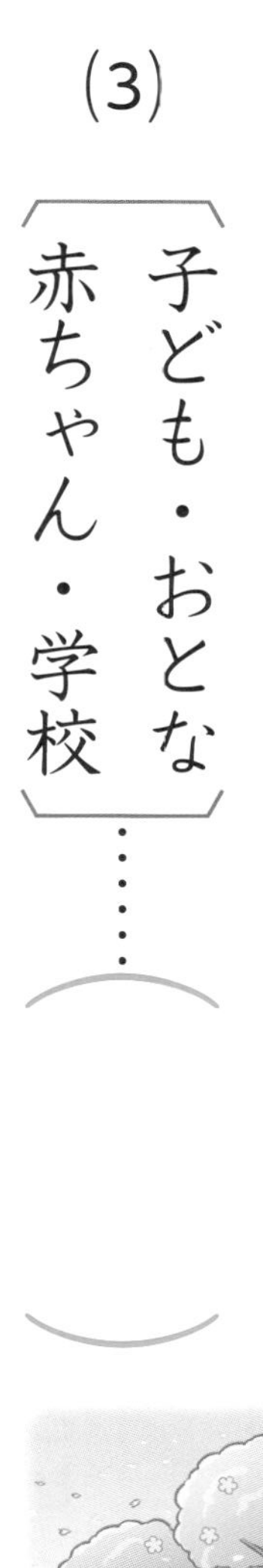

**3** ――線のことばと　はんたいの　いみの　ことばを、後から　えらんで　書きましょう。（一つ6点）

(1) 戸を　しめる。 ↔ 戸を（　　　）。

(2) しあいに　かつ。 ↔ しあいに（　　　）。

(3) 花を　売る。 ↔ 花を（　　　）。

(4) 車が　うごく。 ↔ 車が（　　　）。

まける・おす・止まる
あける・もらう・買う

**4** ――線の　ことばと　はんたいの　いみの　ことばを、書きましょう。（一つ7点）

(1) せが　高い。 ↔ せが（　　　）。

(2) ねだんが　高い。 ↔ ねだんが（　　　）。

(3) あつい　日。 ↔（　　　）日。

(4) おゆは　あつい。 ↔ 水は（　　　）。

21

き本テスト①

目ひょう時間（じかん） 20分（ぷん）

# ことばの きまり(2)

・ようすを あらわす ことば

きほんの もんだいの チェックだよ。できなかった もんだいは、しっかり学しゅうしてから かんれんテスト を やろう！

とく点

100点

かんれんドリル

●言葉と文 25～28ページ



〈ようすを あらわす ことばの つかい方（かた）〉

**1** ——線（せん）の ことばの つかい方が 正しい ほうに、○を つけましょう。（一つ 8点（てん））

(1) （　） きびしい さむさに なる。
　　（　） きびしい 生きものが すむ。

(2) （　） やわらかい お茶（ちゃ）を のむ。
　　（　） やわらかい もちを 食（た）べる。

(3) （　） まぶしい 光（ひかり）が さす。
　　（　） まぶしい 歌（うた）を 歌（うた）う。

〈ようすを あらわす ことばの いみ〉

**2** つぎの ようすを あらわす ことばを［　］から えらんで、◯で かこみましょう。（一つ 8点（てん））

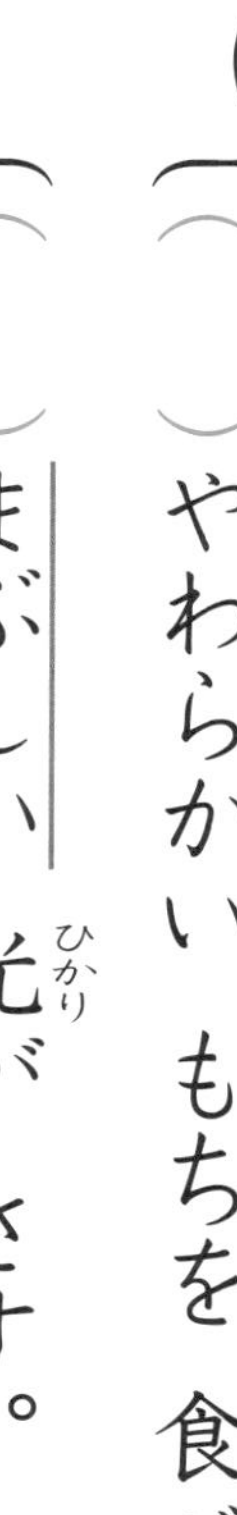

(1) 元気（げんき）よく そだつ ようす。
［ ずんずん・すらすら・すくすく ］

(2) きたいで 心（こころ）が おちつかない ようす。
［ わいわい・わくわく・もわもわ ］

(3) 大きな ものが ゆっくり ころがる ようす。
［ ころころ・ごろごろ・のろのろ ］

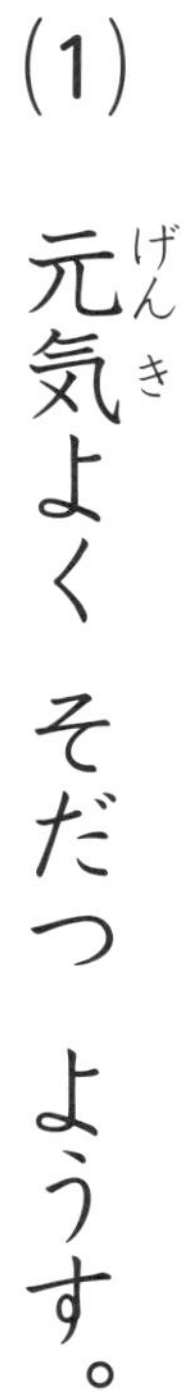

## 3 〈ようすを あらわす ことばの つかい方〉

（　）に 合う ことばを、後の ［　］から えらんで 書きましょう。ことばは、一回だけ つかえます。（一つ7点）

(1) まどから（　　　）風が 入って くる。

(2) 弟が（　　　）おやつを 食べる。

(3) ぞうは はなが（　　　）。

(4) となり町までは（　　　）。

おいしい・遠い・すずしい・長い

## 4 〈ようすを あらわす ことばの つかい方〉

――線の ことばに 合う ほうに、○を つけましょう。（一つ8点）

(1) 犬が （　）のんびり （　）とつぜん 歩いて いる。

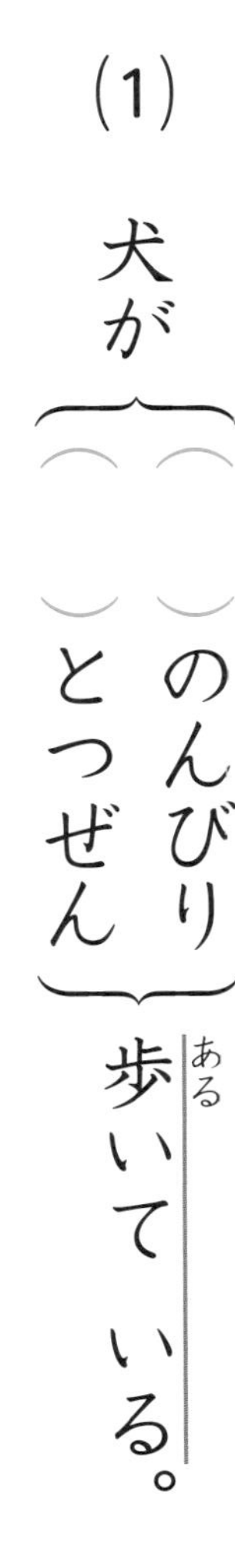

(2) 雲が （　）しっかり （　）ゆっくり ながれて いる。

(3) 妹は （　）ぐっすり （　）どっさり ねむって いる。

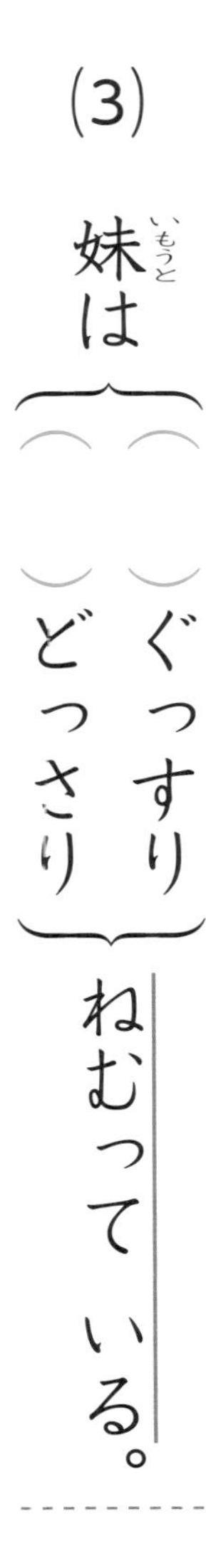

目ひょう時間 20分

## ことばの きまり(2)

・文の 組み立て

き本の もんだいの チェックだよ。できなかった もんだいは、しっかり 学しゅうしてから かんせいテスト を やろう！

とく点 ／100点

かんれんドリル
●言葉と文 53～60ページ

〈「何(だれ)が」に あたる ことば〉

**1** 「何(だれ)が」に あたる ことばに、——線を 引きましょう。（一つ7点）

〈れい〉 犬が、 ワンワン ほえた。

(1) 父が、 電車に のる。

(2) 白い 花が、 さいて いる。

(3) きのう、 友だちが 家に 来た。

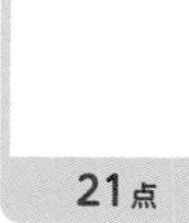

21点

〈「どう する」に あたる ことば〉

**2** 「どう する」に あたる ことばを 書きましょう。（一つ6点）

〈れい〉 犬が、 野原を 走る。 （走る）

(1) 弟が、 大声で わらう。 （　　　　）

(2) 雨が、 しずかに ふる。 （　　　　）

(3) ねこが、ニャーと なく。 （　　　　）

(4) 父が、 車を あらう。 （　　　　）

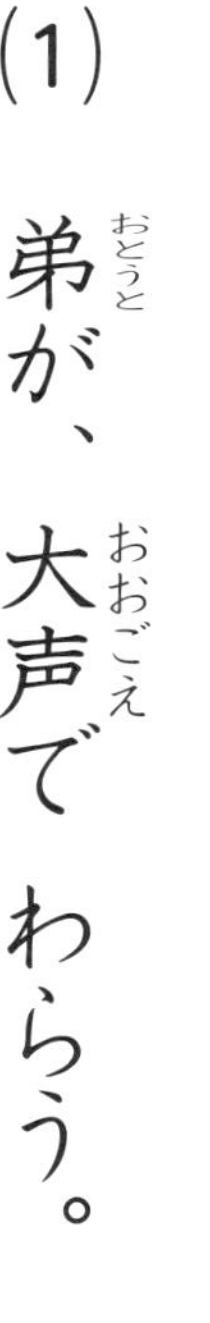
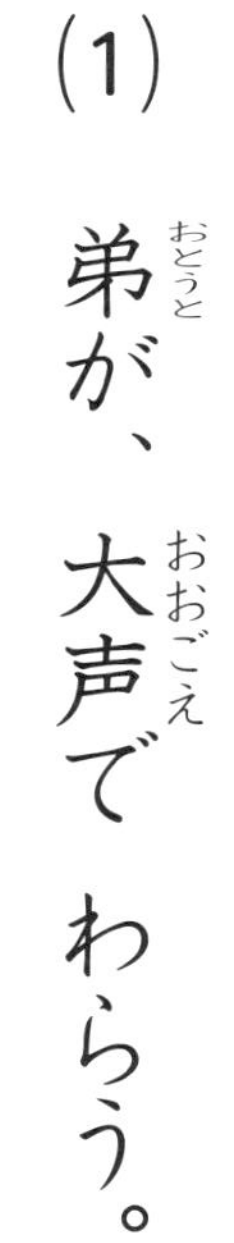

24点

## 3 〈文の組み立て〉

が・を・に のうち、□に合うことばを書きましょう。（一つ5点）

(1) 川で魚□、およいでいる。

(2) げたばこ□くつ□しまう。

(3) 母□、りょう理□している。

(4) たね□花だん□まいた。

35点

## 4 〈文の形〉

絵を見て、つぎの形の文を作りましょう。（一つ10点）

(1) 何が、何をどうする。

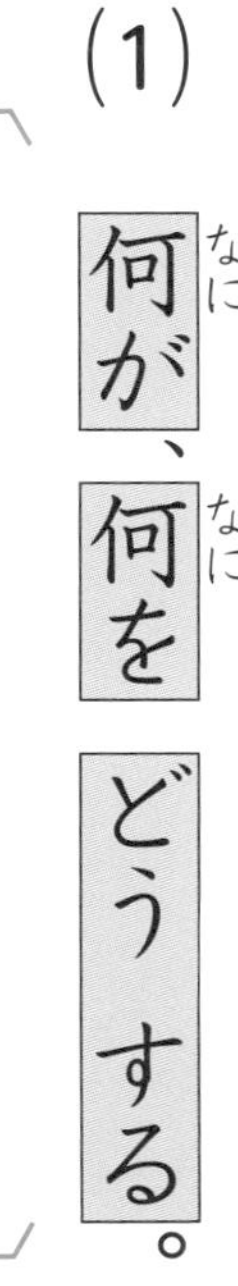

(2) だれが、何をどのようにどうする。

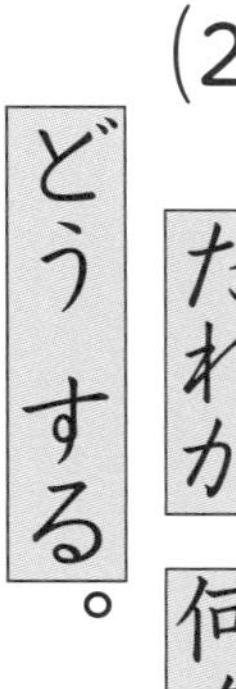

20点

23 かんせいテスト

目ひょう時間 20分

# ことばの きまり(2)

・ようすを あらわす ことば ・文の 組み立て

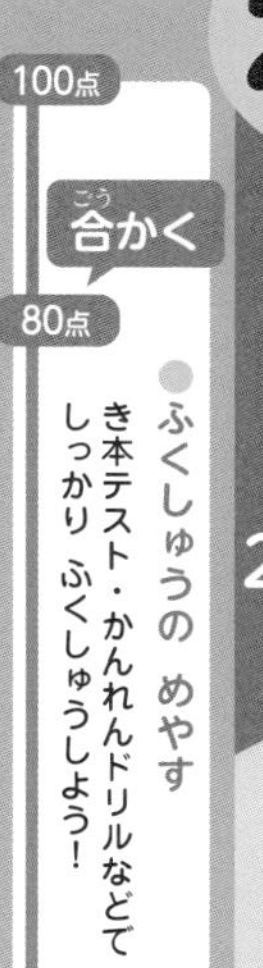


とく点 　/100点

かんれんドリル ●言葉と文 25～28ページ 53～60ページ

**1** 上の ことばに つづく ことばを 下から えらんで、――線で むすびましょう。ことばは、一回だけ つかえます。（一つ6点）

(1) 紙に 絵のぐを べったり・　　・ながめる。

(2) 黒ばんの 字が、はっきり・　　・歩く。

(3) 遠くの 雲を ぼんやり・　　・ぬる。

(4) 風船が、空に ふわふわ・　　・見える。

(5) がっかりして、とぼとぼ・　　・うかぶ。

**2** ――線の ことばの つかい方が 正しい ものを 三つ えらんで、○を つけましょう。（一つ8点）

ア（　）にもつが ふかいので もちきれない。

イ（　）高原の 風は すずしい。

ウ（　）さびしい あつさで、あせが 出る。

エ（　）ねだんが おもしろいので 買えない。

オ（　）あたたかい 南の しまに すむ。

カ（　）ろう下で ころんで はずかしい。

**3** 文に 合う ほうの 字を、□に 書きましょう。（一つ2点）

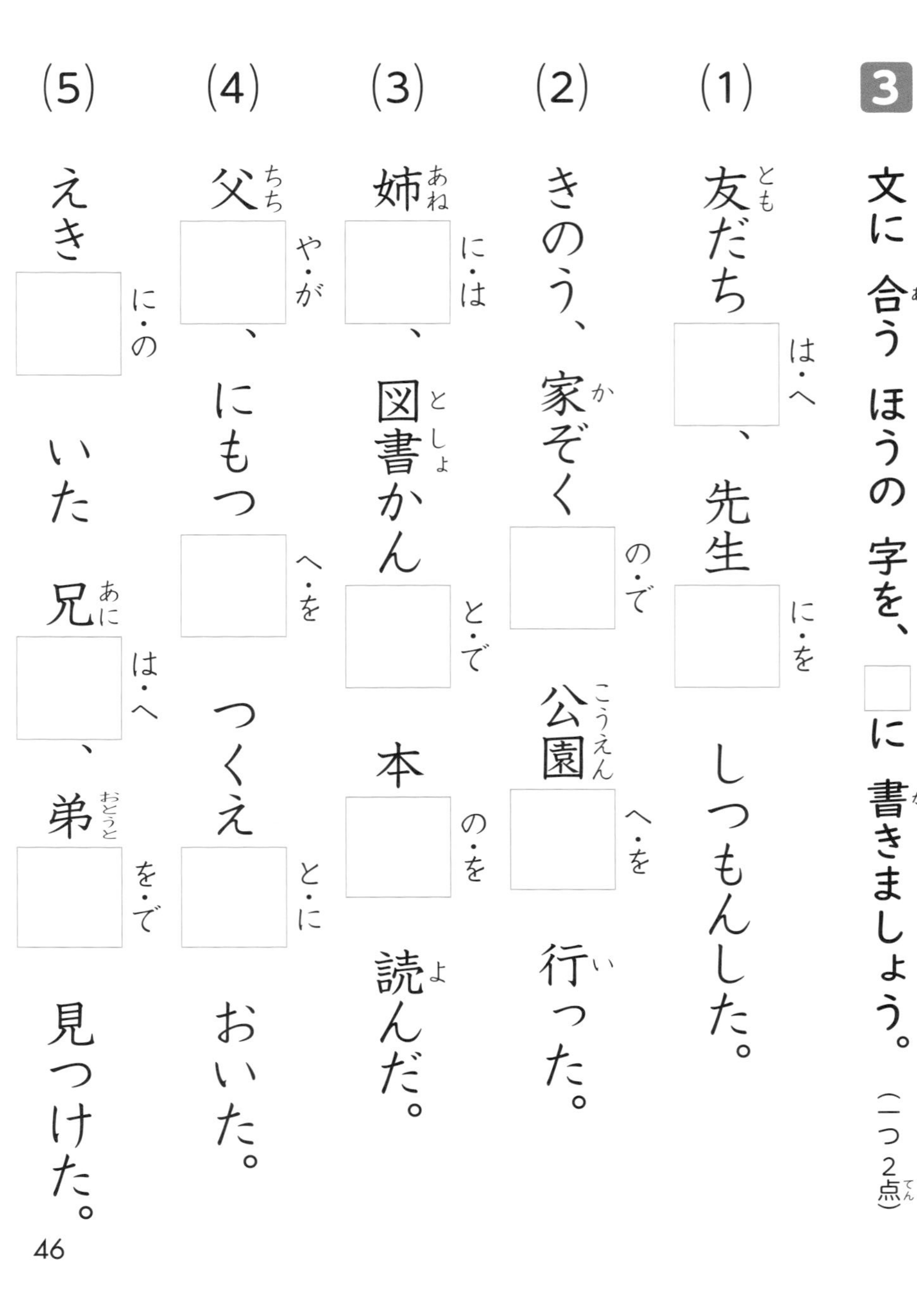

(1) 友だち□（は・へ）、先生□（に・を） しつもんした。

(2) きのう、家ぞく□（の・で） 公園□（へ・を） 行った。

(3) 姉□（に・は）、図書かん□（と・で） 本□（の・を） 読んだ。

(4) 父□（や・が）、にもつ□（へ・を） つくえ□（と・に） おいた。

(5) えき□（に・の） いた 兄□（は・へ）、弟□（を・で） 見つけた。

**4** 絵を 見て、二つの 文を 作りましょう。（一つ10点）

(1) 男の子が、

(2) 犬が、

# 24 き本テスト① ことばの きまり(3)

・かたかな

目ひょう時間 20分

き本の もんだいの チェックだよ。できなかった もんだいは、しっかり 学しゅうしてから かんせいテスト を やろう！

とく点 ／100点

かんれんドリル
●言葉と文 5～10ページ

**1** 〈かたかなの 書き〉
――線の ひらがなを、かたかなで 書きましょう。（一つ 4点）

(1) ぱンに じゃムを ぬる。（　）（　）

(2) のートが びりビリと やぶれた。（　）（　）

(3) らイオンが がオーッと ほえる。（　）（　）

24点　ぜんぶ できたら　言葉と文 5～10ページ

**2** 〈かたかなの 書き〉
絵の ことばを、かたかなで 書きましょう。（一つ 4点）

(1) こんぱす（　）

(2) てえぶる（　）

(3) じゃんぷ（　）

(4) ぽけっと（　）

(5) すぷうん（　）

(6) ちょうく（　）

24点　ぜんぶ できたら　言葉と文 5～10ページ

〈かたかなの ことば〉

**3** □から かたかなで 書く ことばを えらんで、(1)・(2)の（　）に 二つずつ かたかなで 書きましょう。（一つ4点）

しゃつ・けえき
せんべい・くつ
ずぼん・ぼうし
ちょこれえと

(1) ふく

（　　　）・（　　　）

(2) おかし

（　　　）・（　　　）

16点

〈かたかなの ことば〉

**4** かたかなで 書く ことばを 二つずつ 見つけて、かたかなで 書きましょう。（一つ6点）

(1) ばすは、がたがた ゆれて はしった。

（　　　）・（　　　）

(2) おとうさんが、かめらで ぱんだの しゃしんを とった。

（　　　）・（　　　）

(3) あめりかに いる おじさんからの てがみが、ぽすとに はいって いた。

（　　　）・（　　　）

36点

## 25 き本テスト②　ことばの きまり(3)

目ひょう時間 20分

・かん字の 組み立て

き本の もんだいの チェックだよ。できなかった もんだいは、しっかり 学しゅうしてから かんせいテスト を やろう！

とく点　　／100点

かんれんドリル　●言葉と文 33・34ページ

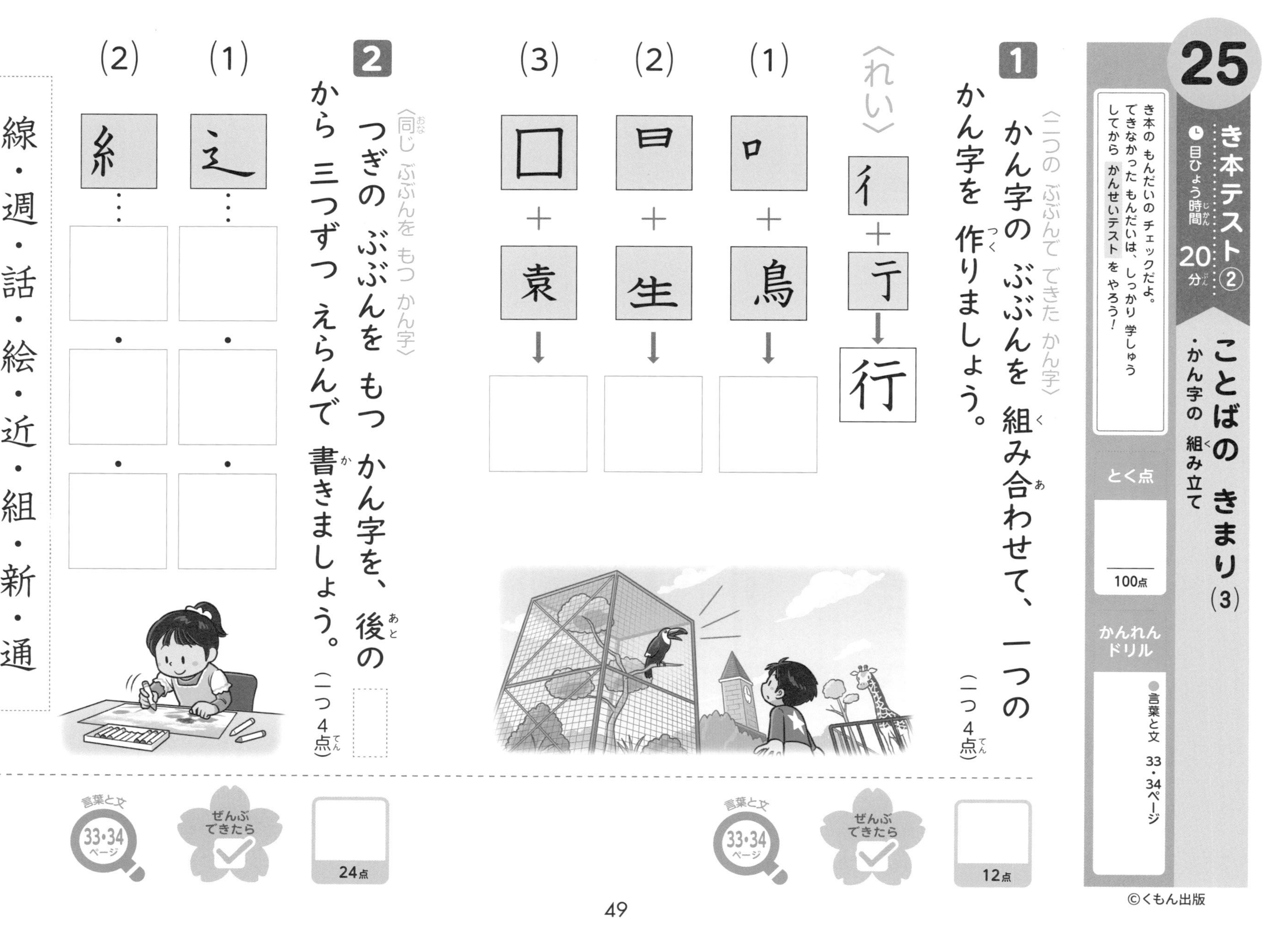

**1** かん字の ぶぶんを 組み合わせて、一つの かん字を 作りましょう。（一つ 4点）

〈二つの ぶぶんで できた かん字〉

〈れい〉 亻 ＋ 亍 → 行

(1) 口 ＋ 鳥 → □

(2) 日 ＋ 生 → □

(3) 囗 ＋ 袁 → □

言葉と文 33・34ページ　ぜんぶ できたら　12点

**2** つぎの ぶぶんを もつ かん字を、後の □ から 三つずつ えらんで 書きましょう。（一つ 4点）

〈同じ ぶぶんを もつ かん字〉

(1) 辶 … □・□・□

(2) 糸 … □・□・□

線・週・話・絵・近・組・新・通

言葉と文 33・34ページ　ぜんぶ できたら　24点

**3** 〈同じ ぶぶんを もつ かん字〉

つぎの ぶぶんを もつ かん字を 書きましょう。（一つ4点）

(1) 日
□（は）れの 日。
□（あか）るい 色。

(2) 言
□（はなし）を 聞く。
本を □（よ）む。

(3) 雨
□（でん）車に のる。
□（ゆき）が ふる。

**4** 〈同じ ぶぶんを もつ かん字〉

つぎの ぶぶんを もつ かん字を □に 書きましょう。（一つ5点）

(1) 氵…□（き）車に のる。青い □（うみ）。

(2) 人…□（かい）社。□（いま）の 時こく。

(3) 土…□（じ）めん。広 □（ば）に 行く。

(4) 竹…□（こた）えを 書く。計 □（さん）する。

言葉と文 33・34ページ　ぜんぶ できたら　24点

言葉と文 33・34ページ　ぜんぶ できたら　40点

# 26 かんせいテスト

目ひょう時間 20分

## ことばの きまり(3)

・かたかな ・かん字の 組み立て

ふくしゅうの めやす
きほんテスト・かんれんドリルなどで しっかり ふくしゅうしよう！

合かく 80点　100点　0点

とく点　　／100点

かんれんドリル
●言葉と文 5〜10ページ 33・34ページ



**1** □の ことばを、つぎの (1)〜(3)の （　）に 二つずつ かたかなで 書きましょう。（一つ3点）

ちゅんちゅん・いぎりす・てれび
さいだあ・いたりあ・わんわん

(1) 外国の 国の 名前。
（　　　　）
（　　　　）

(2) どうぶつの 鳴き声。
（　　　　）
（　　　　）

(3) 外国から 来た ことば。
（　　　　）・（　　　　）

**2** かたかなが まちがって いる 字に ×を つけて、正しく 書き直しましょう。（一つ5点）

〈れい〉 ヌップの 水。（ヌに×、コ）

(1) ダンヌを 楽しむ。

(2) レストラソに 入る。

(3) オムレシを 食べる。

**3** つぎの かん字の ぶぶんを 組(く)み合(あ)わせて、一つの かん字を 作(つく)りましょう。（一つ5点(てん)）

(1) ネ ＋ 土 → □

(2) 田 ＋ 心 → □

(3) 七 ＋ 刀 → □

(4) 主 ＋ 夂 → □

(5) 亠 ＋ 父 → □

(6) 豆 ＋ 頁 → □

(7) 止 ＋ 少 → □

**4** 同(おな)じ ぶぶんを もつ かん字を □に 書(か)きましょう。（一つ4点(てん)）

(1) 教(きょう)□(しつ)の まど。□(いえ)に 帰(かえ)る。

(2) □(みせ)で 買(か)う。□(ひろ)い へや。

(3) □(ず)画工作(がこうさく)。□(こく)語(ご)の じゅぎょう。

(4) 車が □(とお)る。来(らい)□(しゅう)の よてい。

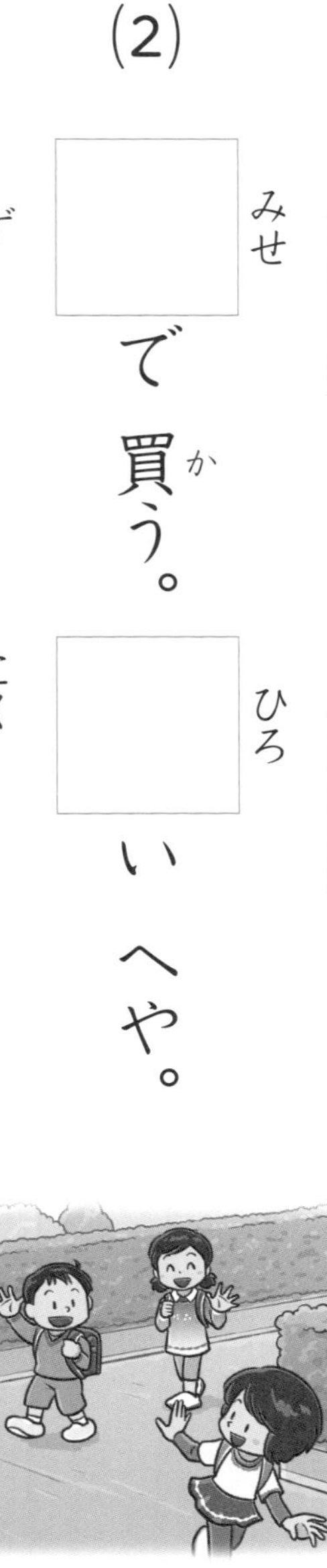

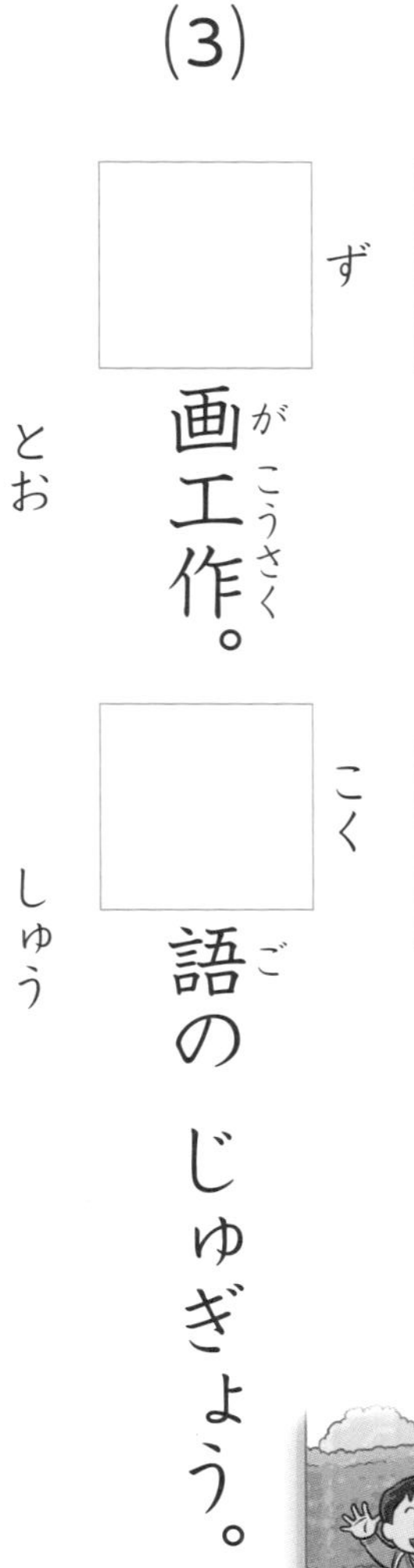

# 27 き本テスト

目ひょう時間 20分

## 作文の 書き方(1)

・できごとを 書く

き本の もんだいの チェックだよ。
できなかった もんだいは、しっかり 学しゅうしてから かんせいテスト を やろう！

とく点　　／100点

かんれんドリル
●文しょうの読解 69～76ページ

〈できごとを はっきりと 書く〉

**1** 作文を 読んで、もんだいに 答えましょう。

> 日曜日に 家ぞくで 山中こに 行きました。みずうみでは、つりを して いる 人も いました。わたしたちは、ゆうらん船に のりました。船から ふじ山が 見えて、とても きれいでした。

(1) いつの ことを、作文に 書いて いますか。(15点)

〔　　　　〕

(2) どこに 行った ときの ことを、作文に 書いて いますか。(15点)

〔　　　　〕

(3) 何に のった ことを、作文に 書いて いますか。(20点)

〔　　　　〕

50点

ぜんぶ できたら

文しょうの読解 69～76ページ

## 2 作文を 読んで、もんだいに 答えましょう。 〈できごとを はっきりと 書く〉

［1］夏休みに、ぼくは お父さんと かぶと虫を とりに 行った。

［2］昼間、森の 中を、あちこち さがしたけれど、ぜんぜん 見つからなかった。

［3］でも、夜に 行って みたら、大きな 木の みきに、かぶと虫が いた。ほかの 虫も たくさん いた。

(1) いつの ことを、作文に 書いて いますか。(15点)

［　　　　］

(2) 何を とりに 行った ことを、作文に 書いて いますか。(15点)

［　　　　］

(3) かぶと虫を つかまえた ときの ことを、くわしく 書こうと 思います。［1］から［3］の どの まとまりに 書きたすと よいですか。(20点)

［　　］の まとまり。

50点

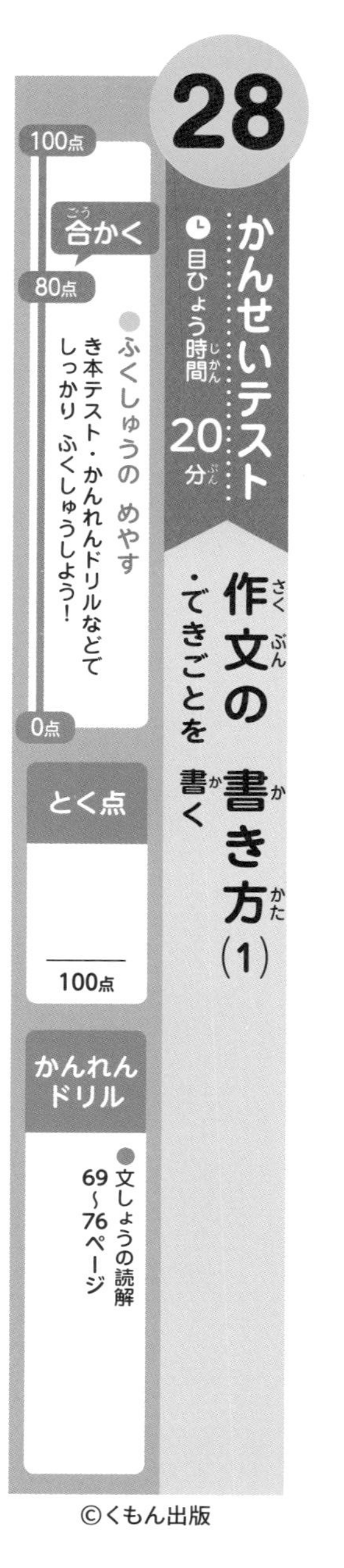




★ 作文を 書く 前の メモと 作文を 読んで、もんだいに 答えましょう。

メモ

㋐ こうえんで、おまつりの じゅんびを して いた。

㋑ おじさんたちが、十人 いた。

㋒ たくさんの 木の ぼうを、くみ立てて いた。

[1] わたしは、こうえんで、町の おじさんたちが、おまつりの 会場を じゅんびして いるのを 見ました。

(1) どこでの ことを、作文に 書いて いますか。（20点）

〔　　　　〕

(2) [1]と [2]の まとまりは、㋐から ㋒の どの メモを つかって 書いて いますか。あてはまる 記ごうを すべて 書きましょう。（一つ15点）

[1]……〔　　　　〕

[2]……〔　　　　〕

2 おじさんたちは、たくさんの 木の ぼうを、十人で くみ立てて いました。わたしは、なにを つくって いるのだろうと 思いました。おじさんに きいたら、
「これは、やぐらと いうんだよ。いつもは、ばらばらに して、こうみんかんの そうこに おいて あるんだ。」
と 教えて くれました。

3 おまつりは、こんどの 土曜日です。おまつりに 行ったら、ぜひ、大きな やぐらも 見て ください。

(3) 2 の まとまりで、思った ことを 書いて いる ところに ―― 線を 引きましょう。（15点）

(4) おじさんが 言った ことばを そのまま 書く ために、どんな 記ごうを つかって いますか。（15点）

〔　　　　〕

(5) 3 の まとまりは、どんな ないように なって いますか。合う ものを 一つ えらんで、○を つけましょう。（20点）

ア（　）作文を 書いた りゆう。
イ（　）ぜんたいの まとめ。
ウ（　）はじめて しった こと。

# 29 き本テスト

目ひょう時間 20分

## 作文の 書き方 (2)
・じゅんじょよく 書く

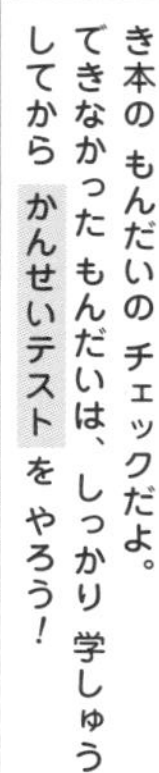

き本の もんだいの チェックだよ。できなかった もんだいは、しっかり 学しゅうしてから かんせいテスト を やろう！

とく点　　100点

かんれんドリル
● 文しょうの読解 45〜50ページ

〈ことがらを じゅんじょよく 書く〉

**1** 作文を 読んで、もんだいに 答えましょう。

> [1] わたしは、糸電話を 作りました。
> [2] まず、紙コップ 二つ、糸、セロハンテープを ようい しました。
> [3] そして、もう 一つの 紙コップにも 糸の はしを つければ できあがりです。

(1) この 作文は、何の 作り方を せつ明して いますか。（20点）

〔　　　　〕

(2) つぎの 文は、[1]から[3]の どこに 入れると よいですか。（ぜんぶ かけて 30点）

> つぎに、紙コップの そこに 糸の はしを つけ、セロハンテープで とめます。

[　　]と[　　]の 間。

50点

ぜんぶ できたら

文しょうの読解 45〜50ページ

## 2 〈ことがらを　じゅんじょよく　書く〉

**作文を　読んで、もんだいに　答えましょう。**

㋐　ぼくは、きのう、たこを　作った。

㋑　つぎに、ビニールぶくろを　切って、ほね組みに　はった。

㋒　はじめに、竹ひごを　十字に　して、ほね組みを　作った。

㋓　さいごに、竹ひごの　はしに　糸を　つけて　できあがりだ。

(1)　㋐から　㋓の　文を　ならべかえて、正しい　じゅんに　なるように　記ごうを　書きましょう。（一つ10点）

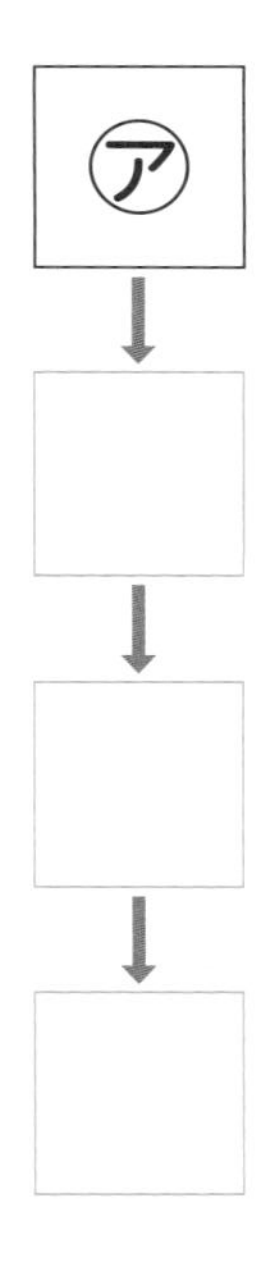


(2)　この　作文は、何の　作り方を　せつ明して　いますか。（20点）

〔　　　　　　　〕

50点

# 30 かんせいテスト

目ひょう時間 20分

## 作文の 書き方 (2)

・じゅんじょよく 書く

ふくしゅうの めやす：き本テスト・かんれんドリルなどで しっかり ふくしゅうしよう！
合かく 80点 ／ 100点 ／ 0点

とく点　　／100点

かんれんドリル：文しょうの読解 45～50ページ

★ 作文を 読んで、もんだいに 答えましょう。

1　わたしは、日よう日に、家ぞくで バーベキューを しました。いとこの なおとくんの 家ぞくも いっしょでした。

2　はじめに、みんなで やさいを きりました。わたしは、きった やさいを はこびました。

3　つぎに、あみを のせた コンロに、火を つけました。けむりが たくさん 出ました。

4　それから、にくを やきました。ジュージュー

(1) 1では、何に ついて 書いて いますか。一つ えらんで、○を つけましょう。（15点）

ア（　）みんなで やさいを きったこと。

イ（　）にくの あじみを した こと。

ウ（　）日よう日に、バーベキューを した こと。

(2) 2から、じゅんじょを あらわす ことばを ぬき出しましょう。（15点）

〔　　　　〕

と 音が して、 いい に
おいが しました。 なお
とくんと いっしょに、
「あじみ させて。」
と 言ったら、 お母さんが、
「あついから、 気を つけ
てね。」
と 言って、 やきたての
にくを 一まい くれまし
た。あつかったけれど、
おいしかったです。

5 その あとで、 やいた
にくと やさいを、 みん
なで たくさん たべまし
た。

6 おいしかったし、 楽し
かったので、 また みん
なで、 バーベキューを
やりたいなと 思いまし
た。

(3) つぎの ㋐から ㋓の メモを、 どのような じゅんに 作文に 書いて いますか。 番ごうを 書きましょう。 (一つ 15点)

( ) ㋐ にくを やいて あじみを した。

( ) ㋑ コンロに 火を つけた。

( ) ㋒ みんなで やさいを きった。

( ) ㋓ みんなで、 やいた にくと やさいを たべた。

(4) 思った ことを 書いて いるのは、 どの まとまりですか。 (10点)



（平成27年度版 東京書籍 新編 新しい国語二上 86〜91ページ「じょうずに 書こう『じゅんじょよく』」）

# 31 き本テスト

目ひょう時間 30分

## どう話の 読みとり (1)

・場めんの ようす「ふきのとう」

き本の もんだいの チェックだよ。
できなかった もんだいは、しっかり 学しゅう
してから かんせいテスト を やろう！

とく点 ／100点

かんれんドリル
● 文しょうの読解 35～42ページ

〈場めんの ようすを 読みとる〉

★ 文しょうを 読んで、もんだいに 答えましょう。

空の 上で、お日さまが わらいました。

「おや、はるかぜが ねぼうして いるな。竹やぶも 雪も ふきのとうも、みんな こまって いるな。」

そこで、南を むいて 言いました。

「おうい、はるかぜ。おきなさい。」

お日さまに おこされて、はるかぜは、大きな あくび。

それから、せのびして 言いました。

「や、お日さま。や、みんな。おまちどお。」

(1) おひさまは、どこで わらいましたか。（15点）

［　　　　　　］

(2) お日さまは、はるかぜに なんと 言いましたか。文しょう中に、——線を 引きましょう。（20点）

(3) お日さまに おこされた はるかぜは、まず、何を しましたか。（15点）

［　　　　　　］

50点

ぜんぶ できたら

文しょうの読解 35～42ページ

はるかぜは、むね いっぱいに いきを すい、ふうっと いきを はきました。

はるかぜに ふかれて、
竹やぶが、ゆれる ゆれる、おどる。
雪(ゆき)が、とける とける、水に なる。
ふきのとうが、ふんばる、せが のびる。
ふかれて、
ゆれて、
とけて、
ふんばって、
――もっこり。
ふきのとうが、かおを 出しました。
「こんにちは。」
もう、
すっかり はるです。

（令和2年度版　光村図書　こくご二上たんぽぽ　9〜22ページより『ふきのとう』くどう なおこ）

(4) はるかぜが いきを はくと、何(なに)が ゆれて おどりましたか。（20点(てん)）

(5) はるかぜに ふかれて、雪(ゆき)は どう なりましたか。（20点(てん)）

(6) 「こんにちは。」は、だれが 言(い)った ことばですか。（10点(てん)）

ぜんぶ できたら

50点

# 32 かんせいテスト

目ひょう時間 30分

## どう話の 読みとり (1)

・場めんの ようす「ふきのとう」

ふくしゅうの めやす
きほんテスト・かんれんドリルなどで しっかり ふくしゅうしよう!

100点 合かく 80点 0点

とく点 　／100点

かんれんドリル
・文しょうの読解 35～42ページ

★ 文しょうを 読んで、もんだいに 答えましょう。

空の 上で、お日さまが わらいました。

「おや、はるかぜが ねぼうして いるな。竹やぶも 雪も ふきのとうも、みんな こまって いるな。」

そこで、南を むいて 言いました。

「おうい、はるかぜ。おきなさい。」

お日さまに おこされて、はるかぜは、大きな あくび。

それから、せのびして 言いました。

「や、お日さま。や、みんな。おまちどお。」

(1) 「お日さま」が わらったのは、なぜですか。(　)に 合う ことばを 書きましょう。(一つ10点)

①(　　　)が ②(　　　)して みんなが こまって いるから。

(2) 線の ことばは、だれの ことばですか。(15点)

(　　　)

(3) 線の 「みんな」とは だれの ことですか。(15点)

(　　　)

はるかぜは、むね いっぱいに いきを すい、ふうっと いきを はきました。

はるかぜに ふかれて、
竹やぶが、ゆれる ゆれる、おどる。
雪（ゆき）が、とける とける、水に なる。
ふきのとうが、ふんばる、せが のびる。
ふかれて、
ゆれて、
とけて、
ふんばって、
――もっこり。
ふきのとうが、かおを 出しました。
「こんにちは。」
もう、
すっかり はるです。

（令和２年度版 光村図書 こくご二上たんぽぽ ９～22ページより『ふきのとう』くどう なおこ）

(4) はるかぜは、むね いっぱいに いきを すったあと、どんな ことを しましたか。（15点）

(5) ふきのとうが、いっしょうけんめいに のびようとして いるのが わかる ことばを 四文字で 書き（か）ましょう。（15点）

(6) ゆれて、とけては、それぞれ だれの ようすですか。（一つ10点）

ゆれて

とけて

# 33 き本テスト

目ひょう時間 30分

## どう話の 読みとり(2)

・人ぶつの 気もち「きつねの おきゃくさま」

き本の もんだいの チェックだよ。できなかった もんだいは、しっかり 学しゅうしてから かんせいテスト を やろう！

とく点 ／100点

かんれんドリル ●文しょうの読解 57～64ページ

〈人ぶつの 気もちを 読みとる〉

★ 文しょうを 読んで、もんだいに 答えましょう。

むかし むかし、あった とさ。

はらぺこきつねが あるいて いると、やせた ひよこが やって きた。がぶりと やろうと 思ったが、やせて いるので 考えた。太らせてから たべようと。

そうとも。よく ある、よく ある ことさ。

「やあ、ひよこ。」

「やあ、きつねお兄ちゃん。」

「お兄ちゃん？ やめて くれよ。」

きつねは、ぶるると みぶるいした。

でも、ひよこは 目を 丸くして 言った。

(1) 「はらぺこきつね」は、やせた ひよこが やって きた とき、すぐに どう しようと 思いましたか。(20点)

(2) ひよこが「きつねお兄ちゃん」と よんだ とき、きつねは どんな ようすでしたか。(20点)

40点

「ねえ、お兄ちゃん。どこかに いい すみか、ないかなあ。こまってるんだ。」

きつねは、心の 中で にやりと わらった。

「よし よし、おれの うちに きなよ。」

すると、ひよこが 言ったとさ。

「きつねお兄ちゃんって、やさしいねえ。」

「やさしい？ やめて くれったら、そんな せりふ。」

でも、きつねは、生まれて はじめて 「やさしい」なんて 言われたので、すこし ぼうっと なった。

（令和２年度版　教育出版　ひろがることば 小学国語二上　70〜73ページより『きつねの おきゃくさま』あまん きみこ）

(3) ひよこは、何を さがして いましたか。 （20点）

(4) きつねは、「心の 中で にやりと わらった」あと、何と 言いましたか。 （20点）

(5) きつねは、「生まれて はじめて」何と 言われましたか。 （20点）

60点

目ひょう時間 30分

ふくしゅうの めやす：き本テスト・かんれんドリルなどで しっかり ふくしゅうしよう！ 100点 / 合かく 80点 / 0点

# どう話の 読みとり (2)

・人ぶつの 気もち「きつねの おきゃくさま」

とく点　　／100点

かんれんドリル：文しょうの読解 57～64ページ

★ 文しょうを 読んで、もんだいに 答えましょう。

　むかし むかし、あった とさ。

　はらぺこきつねが あるいて いると、やせた ひよこが やって きた。がぶりと やろうと 思ったが、やせて いるので 考えた。太らせてから たべようと。

　そうとも。よく ある、よく ある ことさ。

「やあ、ひよこ。」

「やあ、きつねお兄ちゃん。」

「お兄ちゃん？ やめて くれよ。」

きつねは、ぶるると みぶるいした。

　でも、ひよこは 目を 丸くして 言った。

(1) はらぺこきつねが、やせた ひよこを たべなかったのは なぜですか。(20点)

(2) きつねが「ぶるると みぶるい」したのは、なぜですか。正しい ほうを えらんで ○を つけましょう。(20点)

ア（　）きつねお兄ちゃんと よばれた ことが なかったから。

イ（　）本当は、たべようと して いる ことを 知られたから。

「ねえ、お兄(にい)ちゃん。どこかに いい すみか、ないかなあ。こまってるんだ。」

きつねは、心(こころ)の 中で にやりと わらった。

「よし よし、おれの うちに きなよ。」

すると、ひよこが 言(い)ったとさ。

「きつねお兄(にい)ちゃんって、やさしいねえ。」

「やさしい？ やめて くれったら、そんな せりふ。」

でも、きつねは、生まれて はじめて 「やさしい」なんて 言(い)われたので、すこし ぼうっと なった。

(3) ひよこは、何(なに)に 「こまって」 いるのですか。 (20点(てん))

[　　　　]

(4) きつねが、▢のように 言(い)ったのは、なぜですか。(　)に 合(あ)う ことばを 書(か)きましょう。 (20点(てん))

ひよこを だまして つれて かえり、
(　　　　)
から たべるため。

(5) きつねが 「すこし ぼうっと なった」のは、なぜですか。 (20点(てん))

[　　　　]

（令和２年度版　教育出版　ひろがることば 小学国語二上　70～73ページより『きつねの おきゃくさま』あまん きみこ）

# どう話の 読みとり(2)
・人ぶつの 気もち「スーホの 白い 馬」

合かく 100点 80点 0点
● ふくしゅうの めやす
き本テスト・かんれんドリルなどで しっかり ふくしゅうしよう！

とく点 ／100点

かんれんドリル ● 文しょうの読解 57～64ページ

★ 文しょうを 読んで、もんだいに 答えましょう。

スーホは、にこにこしながら、みんなに わけを 話しました。

「帰る とちゅうで、子馬を 見つけたんだ。これが、もがいて いたんだよ。（略）ほうって おいたら、夜に なって、おおかみに 食われて しまうかも しれない。それで、つれて きたんだよ。」

（一部省略）スーホが、心を こめて せわした おかげで、子馬は、すくすくと そだちました。体は 雪のように 白く、きりっと 引きしまって、だれでも、思わず 見とれるほどでした。

(1) スーホが 見つけた とき、子馬は、どんな ようすでしたか。（15点）

(2) スーホが 子馬を つれて きたのは、どうしてですか。（15点）

(3) 線のように 子馬が そだったのは、スーホが どのように せわを したからですか。（15点）

ある ばんの こと、ねむって いた スーホは、はっと 目を さましました。（一部省略）スーホは、はねおきると 外に とび出し、ひつじの かこいの そばに かけつけました。見ると、大きな おおかみが、ひつじに とびかかろうと して います。そして、**わかい 白馬**が、おおかみの 前に 立ちふさがって、ひっしに ふせいで いました。

スーホは、おおかみを おいはらって、白馬の そばに かけよりました。白馬は、体中 あせ びっしょりでした。（一部省略）

スーホは、あせまみれに なった 白馬の 体を なでながら、兄弟に 言うように 話しかけました。

「よく やって くれたね、白馬。本当に ありがとう。これから 先、どんな ときでも、ぼくは おまえと いっしょだよ。」

（令和２年度版　光村図書　こくご二下赤とんぼ　11〜13ページより『スーホの白い馬』大塚勇三）

(4) **わかい 白馬**は、どうして いましたか。（15点）

〔　　　　〕

(5) スーホが かけよると、白馬は、どんな ようすでしたか。（15点）

〔　　　　〕

(6) ▭の ことばを 言った ときの スーホの 気もちを 一つ えらんで、○を つけましょう。（10点）

ア（　）ざんねんな 気もち。
イ（　）かなしい 気もち。
ウ（　）かんしゃの 気もち。

(7) スーホは、▭の ことばを だれに 言うように 話しかけましたか。（15点）

〔　　　　〕

# 36 き本テスト

目ひょう時間 30分

## せつ明文の 読みとり(1)

・話の じゅんじょ 「ほたるの 一生」

き本の もんだいの チェックだよ。できなかった もんだいは、しっかり 学しゅうしてから かんせいテスト を やろう!

とく点　　／100点

かんれんドリル　●文しょうの読解 45〜50ページ

〈じゅんじょに 気を つけて 読みとる〉

★ 文しょうを 読んで、もんだいに 答えましょう。

七月の はじめごろ、ほたるの おすと めすは、光りはじめます。ほたるの 光は、おすと めすの 間の しんごうです。おすは、おしりの 先を 強く よわく 光らせながら、木の はの 上で 光って いる めすを さがして とび回ります。そして、めすを 見つけ、けっこんします。

(1) ほたるの おすと めすが、光りはじめるのは いつごろですか。(20点)

〔　　　　〕

(2) ほたるの おすは、めすを さがすのに どのように しますか。(　)に 合う ことばを 書きましょう。(一つ15点)

おしりの 先を ①(　　　) よわく 光らせながら、②(　　　)。

50点

ぜんぶ できたら

文しょうの 読解 45〜50ページ

けっこんした ほたる
のめすは、水べの こけ
に小さな たまごを う
みつけます。一ぴきの
めすが うむ たまごの
数は、五百こから 千こ
にも 上ります。

たまごを うみおえる
と、めすも おすも しん
でしまいます。せい虫に
なってから、わずか 十
日ばかりの いのちです。

たまごは、およそ 一
か月後に よう虫に なり
ます。よう虫は、すぐに
川の 中へ 入り、水の 中
での 生活を はじめます。

（令和2年度版 学校図書 みんなと学ぶ 小学校こくご二上 33〜34ページより『ほたるの 一生』[illegible]）

(3) めすは、どこに たまごを うみますか。 (10点)

(4) 一ぴきの めすは たまごを 何こくらい うみますか。文しょう中に、――線を 引きましょう。 (15点)

(5) たまごは、どれくらい たつと よう虫に なりますか。 (15点)

(6) よう虫は、どこで 生活しますか。 (10点)

50点

## 37 かんせいテスト

目ひょう時間 30分

# せつ明文の 読みとり (1)

・話の じゅんじょ 「ほたるの 一生」

合かく 100点 80点 0点

ふくしゅうの めやす
き本テスト・かんれんドリルなどで しっかり ふくしゅうしよう！

とく点 ／100点

かんれんドリル
文しょうの読解 45～50ページ

★ 文しょうを 読んで、もんだいに 答えましょう。

七月の はじめごろ、ほたるの おすと めすは、光りはじめます。ほたるの 光は、おすと めすの 間の しんごうです。おすは、おしりの 先を 強く よわく 光らせながら、木の はの 上で 光って いる めすを さがして とび回ります。そして、めすを 見つけ、けっこんします。

(1) ほたるの 光は、おすと めすに とっては、どんな ものですか。(15点)

(2) おすが おしりの 先を 光らせながら「とび回」るのは 何の ためですか。(20点)

(3) ほたるは、せい虫に なって どれくらい 生きますか。(15点)

けっこんした ほたるの めすは、水べの こけに 小さな たまごを うみつけます。一ぴきの めすが うむ たまごの 数(かず)は、五百こから 千こにも 上ります。
たまごを うみおえると、めすも おすも しんで しまいます。せい虫(ちゅう)に なってから、わずか 十日ばかりの いのちです。
たまごは、およそ 一か月後(ご)に よう虫に なります。よう虫は、すぐに 川の 中へ 入り、水の 中での 生活(せいかつ)を はじめます。

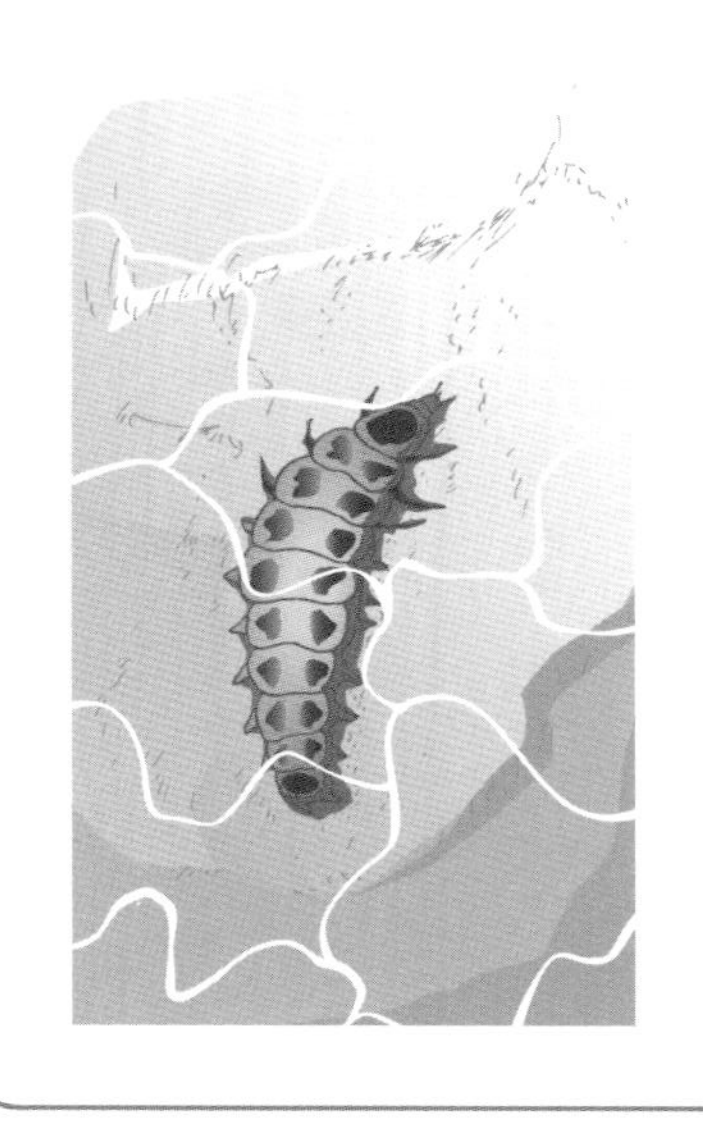

(令和2年度版 学校図書 みんなと学ぶ 小学校こくご二上 33～34ページより『ほたるの 一生』ささき こん)

(4) ほたるに ついて、書(か)かれて いる じゅんに なるように、( )に 番(ばん)ごうを 書(か)きましょう。(一つ10点(てん))

( ) ㋐ めすは、水べの こけに たまごを うむ。

( ) ㋑ たまごは、およそ 一か月後(ご)に よう虫に なる。

( ) ㋒ たまごを うみおえると、めすも おすも しぬ。

(5) たまごから よう虫に なると、どのように 生活(せいかつ)しますか。(20点(てん))

( ) 生活します。

# 38 き本テスト

目ひょう時間 30分

## せつ明文の 読みとり(2)

・だいじな ところ 「たんぽぽの ちえ」

き本の もんだいの チェックだよ。できなかった もんだいは、しっかり 学しゅうしてから かんせいテストを やろう！

とく点　　／100点

かんれんドリル ●文しょうの読解 69～76ページ

〈だいじな ところを 読みとる〉

★ 文しょうを 読んで、もんだいに 答えましょう。　　／50点

1 春に なると、たんぽぽの 黄色い きれいな 花が さきます。

2 二、三日 たつと、その 花は しぼんで、だんだん 黒っぽい 色に かわって いきます。そうして、たんぽぽの 花の じくは、ぐったりと じめんに たおれて しまいます。

3 けれども、たんぽぽは、かれて しまったのでは ありません。花と じくを しずかに 休ませて、たねに、たくさんの えいようを おくって いるのです。（一部省略）

(1) 春、たんぽぽの どんな 花が さきますか。（15点）

［　　　　］

(2) 「二、三日 たつと」、花の じくは、どう なりますか。（15点）

［　　　　］

(3) 「かれて しまったのでは」なく、たんぽぽは、何を して いるのですか。文しょう中に、――線を 引きましょう。（20点）

文しょうの 読解 69～76ページ

4 ［　　］、花は すっかり かれて、その あとに、白い わた毛が できて きます。

5 この わた毛の 一つ一つは、ひろがると、ちょうど らっかさんの ように なります。たんぽぽは、この わた毛に ついて いる たねを、ふわふわ と とばすのです。

6 この ころに なると、それまで たおれて いた 花の じくが、また おき上がります。そうして、せのびを するように、ぐんぐん のびて いきます。

7 なぜ、こんな ことを するのでしょう。それは、せいを 高く する ほうが、わた毛に 風が よく あたって、たねを とおくまで とばす ことが できるからです。

（令和2年度版　光村図書　こくご二上　たんぽぽ　42～46ページより　『たんぽぽの ちえ』うえむら としお）

(4) ［　　］に 合う ことばを 一つ えらんで、○を つけましょう。（15点）

ア（　）まず
イ（　）やがて
ウ（　）それとも

(5) 「この ころに なると」、花の じくは、どう なりますか。（15点）

〔　　　　〕

(6) 「たねを とおくまで とばす」には、どう する ほうが よいのですか。（20点）

〔　　　　〕

50点

# せつ明文の 読みとり(2)

・だいじな ところ 「たんぽぽの ちえ」

★ 文しょうを 読んで、もんだいに 答えましょう。

[1] 春に なると、たんぽぽの 黄色い きれいな 花が さきます。

[2] 二、三日 たつと、その 花は しぼんで、だんだん 黒っぽい 色に かわって いきます。そうして、たんぽぽの 花の じくは、ぐったりと じめんに たおれて しまいます。

[3] [ ]、たんぽぽは、かれて しまったのでは ありません。花と じくを しずかに 休ませて、たねに、たくさんの えいようを おくって いるのです。（一部省略）

(1) 「二、三日 たつと」、たんぽぽの 花は、どう なりますか。（ ）に 合う ことばを 書きましょう。（一つ10点）

花は ①（ ）、②（ ）色に かわる。

(2) たんぽぽが [ ] のように なる わけが 書かれて いるのは、[1]から[7]の どの まとまりですか。（10点）

[ ] の まとまり。

(3) [ ]に、合う ことばを 一つ えらんで、○を つけましょう。（10点）

ア（ ）それから
イ（ ）それとも
ウ（ ）けれども

4　やがて、花は すっかり かれて、その あとに、白い わた毛が できて きます。

5　この わた毛の 一つ一つは、ひろがると、ちょうど らっかさんのように なります。たんぽぽは、この わた毛に ついて いる たねを、ふわふわと とばすのです。

6　この ころに なると、それまで たおれて いた 花の じくが、また おき上がります。そうして、せのびを するように、ぐんぐん のびて いきます。

7　なぜ、こんな ことを するのでしょう。それは、せいを 高く する ほうが、わた毛に 風が よく あたって、たねを とおくまで とばす ことが できるからです。

（令和２年度版　光村図書　こくご二上　たんぽぽ　42〜46ページより『たんぽぽの ちえ』うえむら としお）

(4)　花が かれた あとに、何が できますか。（10点）

[　　　　]

(5)　わた毛の 一つ一つは、ひろがると、何のように なりますか。（10点）

[　　　　]

(6)　わた毛には 何が ついて いますか。（10点）

[　　　　]

(7)　～～～線のように するのには、どうしてですか。（　）に 合う ことばを 書きましょう。（一つ15点）

わた毛に ①（　　　）が よく あたって、たねを ②（　　　）まで とばす ことが できるから。

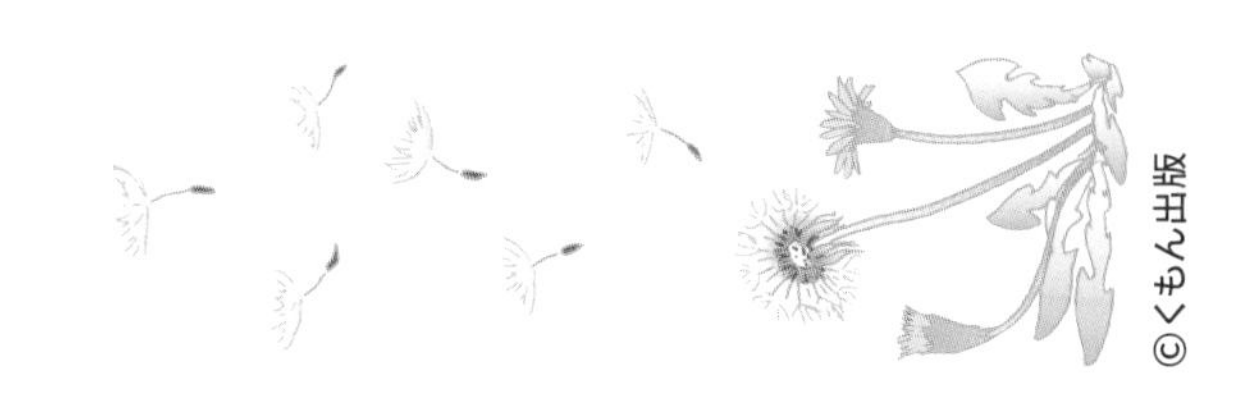

# せつ明文の 読みとり(2)

・だいじな ところ 「ビーバーの 大工事」





★ 文しょうを 読んで、もんだいに 答えましょう。

ここは、北アメリカ。大きな 森の 中の 川の ほとりです。

ビーバーが、木の みきを かじって います。

ガリガリ、ガリガリ。

すごい はやさです。

木の 根元には、たちまち 木の かわや 木くずが とびちり、みきの 回りが 五十センチメートルいじょうも ある 木が、ドシーンと 地ひびきを 立てて たおれます。

(1) どこの ばしょの 話ですか。（一つ10点）

〔①（　　　）の 大きな 森の 中の ②（　　　）の ほとり。〕

(2) 「ガリガリ、ガリガリ。」は、何の 音ですか。（20点）

〔　　　　　〕

(3) 大きな 木は、何を 立てて たおれますか。（10点）

〔　　　　　〕

ちかよって みますと、上あごの 歯を 木の みきに 当てて ささえにし、下あごの するどい 歯で、ぐいぐいと かじって いるのです。するどくて 大きい 歯は、まるで、大工さんの つかう※のみのようです。

ドシーン、ドシーン。

あちらでも こちらでも、ポプラや やなぎの 木が つぎつぎに たおされて いきます。

ビーバーは、切りたおした 木を、さらに みじかく かみ切り、ずるずると 川の 方に 引きずって いきます。

※のみ…先に はが ついて いて、木などに あなを あけたり、けずったり する 道ぐ。

(令和2年度版 東京書籍 新しい国語二下 0～2ページより『ビーバーの 大工事』なかがわ しろう)

(4) ビーバーの 歯は、何のようですか。 (15点)

(5) 「ドシーン、ドシーン。」は、ビーバーが 何を する音ですか。 (15点)

(6) ビーバーは、切りたおした 木を どう しますか。 (20点)

# 詩の 読みとり
「おおきく なあれ」「空に ぐうんと 手を のばせ」

き本の もんだいの チェックだよ。
できなかった もんだいは、しっかり 学しゅう
してから かんせいテスト を やろう！

とく点 ／100点

かんれんドリル
●文しょうの読解 79・80ページ

〈場めんの ようすを 読みとる〉

## 1 詩を 読んで、もんだいに 答えましょう。

おおきく　なあれ

あめの　つぶつぶ
ブドウに　はいれ
ぷるん　ぷるん　ちゅるん
ぷるん　ぷるん　ちゅるん
おもく　なれ
あまく　なれ

あめの　つぶつぶ
リンゴに　はいれ
ぷるん　ぷるん　ちゅるん
ぷるん　ぷるん　ちゅるん
おもく　なれ
あかく　なれ

（平成27年度版　光村図書　こくご二上　たんぽぽ　94・95ページより
『おおきく なあれ』さかた ひろお）

(1) 何が ブドウや リンゴに 入るの ですか。（　）に 合う ことばを 書きましょう。（10点）

〔 あめの（　　　　）。 〕

(2) 何に「あまく なれ」、何に「あかく なれ」と 言って いるのですか。（一つ20点）

① あまく なれ。〔　　　　〕

② あかく なれ。〔　　　　〕

50点

ぜんぶ できたら

文しょうの読解 79・80ページ

## 2 詩を 読んで、もんだいに 答えましょう。

空に ぐうんと 手を のばせ

空に ぐうんと 手を のばせ
わたぐも
すじぐも
かきわけて
でっかい おひさま
つかまえろ

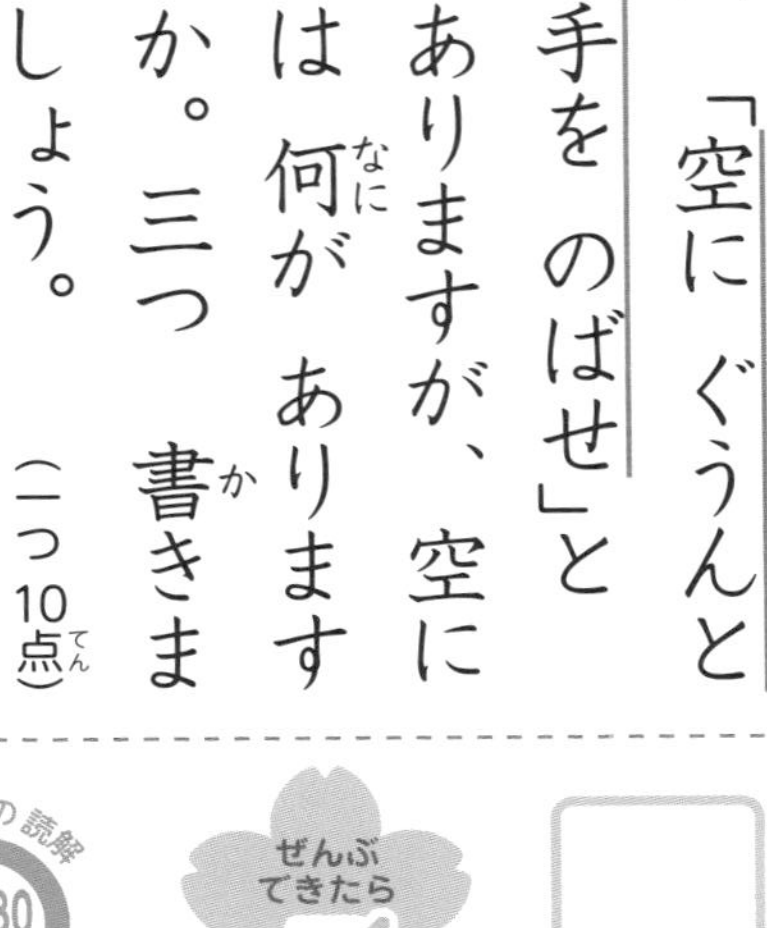

海に ぐうんと 手を のばせ
大波
小波
かきわけて
でっかい くじらを
つかまえろ

横に ぐうんと 手を のばせ
だれかと しっかり
手を つなげ
ぐるっと
地球を
かかえちゃえ

（令和２年度版　東京書籍　新しい国語二上112・113ページより『空に ぐうんと 手を のばせ』しんざわ としひこ）

(1) 「空に ぐうんと 手を のばせ」と ありますが、空には 何が ありますか。三つ 書きましょう。（一つ10点）

〔　・　・　・　〕

(2) 「海に ぐうんと 手を のばせ」と ありますが、どんな ことを しろと いって いますか。（一つ10点）

〔でっかい（①　　）を（②　　）こと。〕

50点

目ひょう時間 30分

ふくしゅうの めやす
合かく 100点 80点 0点
き本テスト・かんれんドリルなどで しっかり ふくしゅうしよう！

# 詩の 読みとり

「おおきく なあれ」「空に ぐうんと 手を のばせ」

とく点 　／100点

かんれんドリル ●文しょうの読解 79～80ページ



**1** 詩を 読んで、もんだいに 答えましょう。

おおきく　なあれ

あめの　つぶつぶ
ブドウに　はいれ
ぷるん　ぷるん　ちゅるん
ぷるん　ぷるん　ちゅるん
おもく　なれ
あまく　なれ

あめの　つぶつぶ
リンゴに　はいれ
ぷるん　ぷるん　ちゅるん
ぷるん　ぷるん　ちゅるん
おもく　なれ
あかく　なれ

（平成27年度版　光村図書　こくご二上　たんぽぽ　94・95ページより
『おおきく なあれ』さかた ひろお）

(1) 二つの ▭ は、何の ようすを あらわして いますか。（　）に 合う ことばを 書きましょう。（二つ10点）

〔 あめの ①（　　　）が ブドウや ②（　　　）に 入る 音。 〕

(2) だい名の「おおきく なあれ」とは、何に 言って いるのですか。二つ 書きましょう。（二つ15点）

## 2 詩を 読んで、もんだいに 答えましょう。

空に ぐうんと 手を のばせ
空に ぐうんと 手を のばせ
わたぐも
すじぐも
かきわけて
でっかい おひさま
つかまえろ

海に ぐうんと 手を のばせ
大波
小波
かきわけて
でっかい くじらを
つかまえろ

横に ぐうんと 手を のばせ
だれかと しっかり
手を つなげ
ぐるっと
地球を
かかえちゃえ

（令和2年度版 東京書籍 新しい国語二上112・113ページより
『空に ぐうんと 手を のばせ』 しんざわ としひこ）

(1) はじめの 二つの まとまりを くらべて、まったく 同じに なって いる 行を、二行 書きましょう。（一つ10点）

［ ・ ・ ］

(2) 三つめの かたまりでは、手を のばして どう しろ と いって いますか。（20点）

［ ］

(3) さいごには どんな ことを するようにと いって いますか。（10点）

［ ］

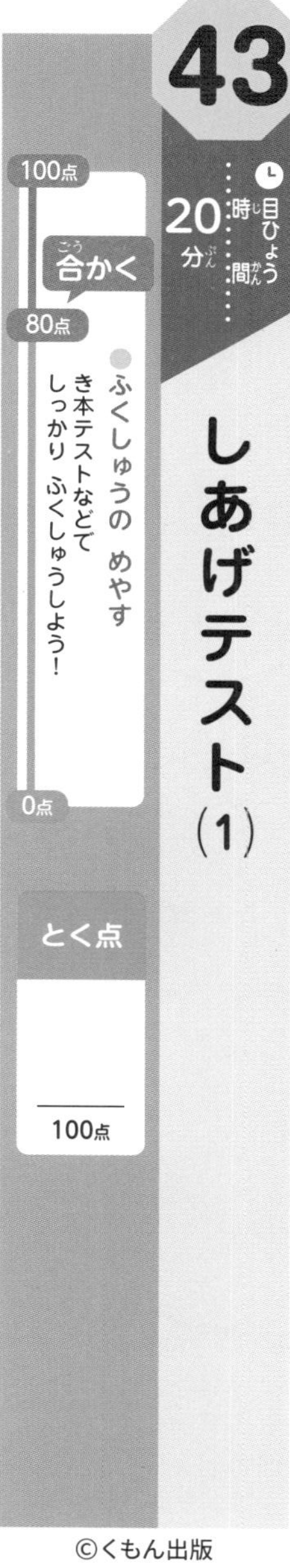

# 43 しあげテスト(1)

目ひょう時間 20分

合かく 80点　100点　0点

とく点　　／100点

●ふくしゅうの めやす
きほんテストなどで しっかり ふくしゅうしよう！

**1** 形に 気を つけて、□に かん字を 書きましょう。（一つ4点）

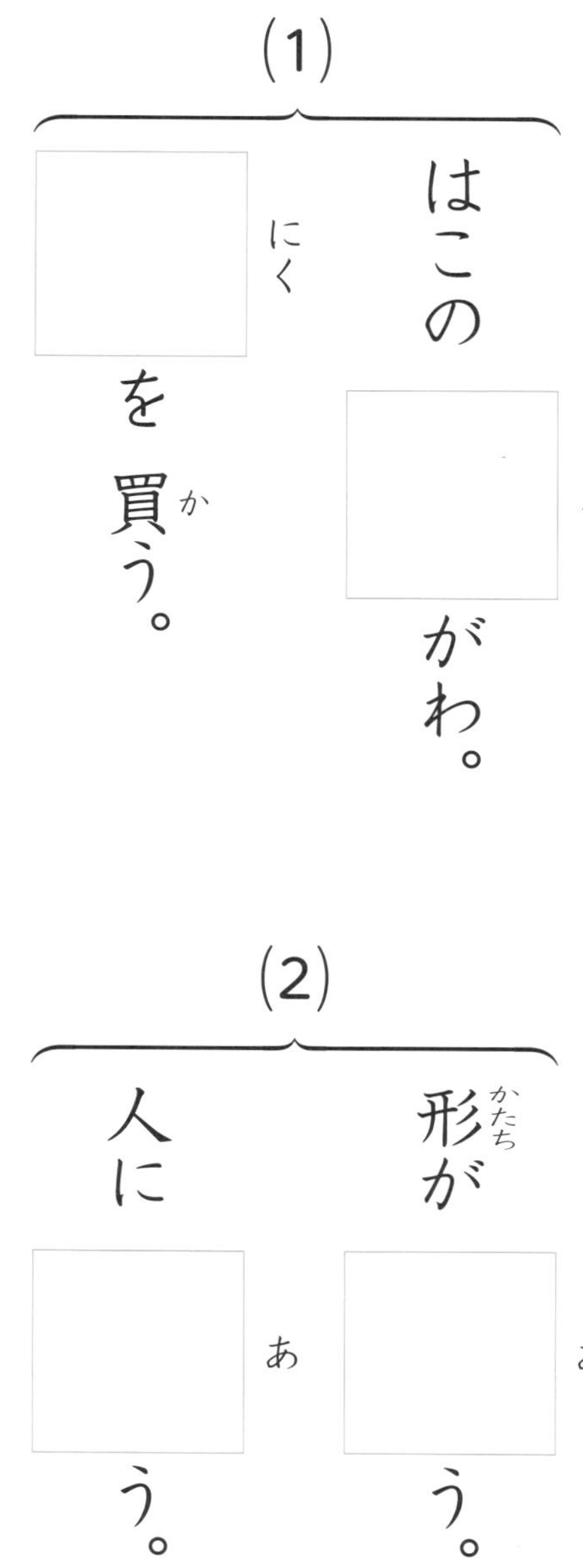

(1) はこの □(うち)がわ。
□(にく)を 買う。

(2) 形が □(あ)う。
人に □(あ)う。

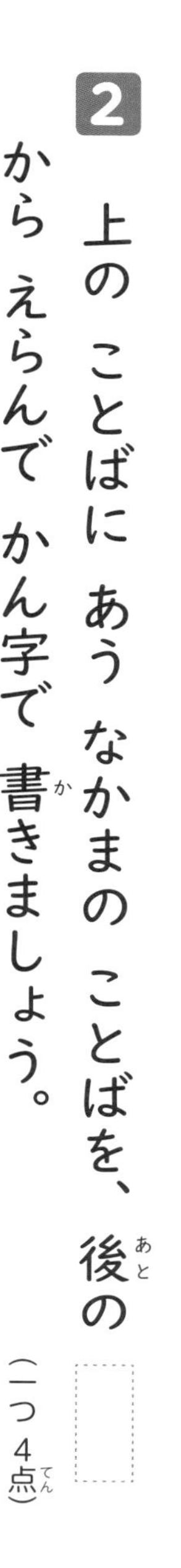

**2** 上の ことばに あう なかまの ことばを、後の □から えらんで かん字で 書きましょう。（一つ4点）

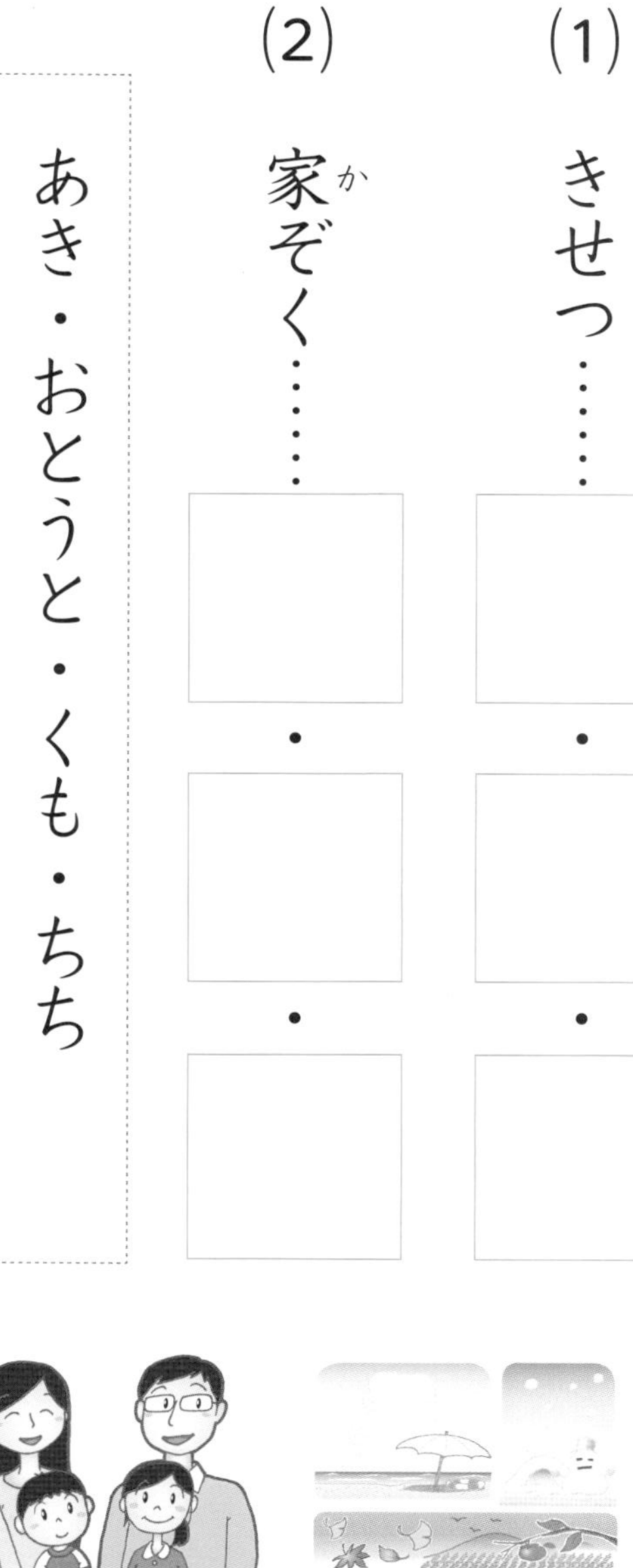

(1) きせつ……□・□・□

(2) 家ぞく……□・□・□

あき・おとうと・くも・ちち
みなみ・はは・ほし・ふゆ・なつ

**3** はんたいの いみの ことばを、かん字と ひらがなで 書きましょう。（一つ6点）

(1) 力が 強い。⟷ 力が（　　）。

(2) へやが くらい。⟷ へやが（　　）。

(3) 糸が みじかい。⟷ 糸が（　　）。

(4) 本を 買う。⟷ 本を（　　）。

**4** □の ことばを、つぎの (1)〜(3)の（　）に かたかなで 書きましょう。（一つ6点）

ぽちゃん・あんでるせん・えんそく
ぐりむ・のうと・がさがさ・ぶらし

(1) 外国の 人の 名前。
（　　）（　　）

(2) ものの 音。
（　　）（　　）

(3) 外国から 来た ことば。
（　　）・（　　）

# 44 しあげテスト(2) 「お父さんの 手」

目ひょう時間 30分

ごうかく 80点 / 100点 / 0点

ふくしゅうの めやす
きほんテストなどで しっかり ふくしゅうしよう！

とく点 ／100点

★ 文しょうを 読んで、もんだいに 答えましょう。

家に 帰ると、お父さんが、ラジオを 聞いて いた。

「おかえり、かおり。」

お父さんは、しずかに 言った。

「どうして、わたしだって 分かるの。」

わたしは、お父さんの 顔を のぞきこんだ。

お父さんは、目が 見えない。わたしが 赤ちゃんの ころ、車の じこで、頭を うって、見えなく なった。

「かおりの においが、するんだよ。」

(1) ラジオを 聞いて いたのは、だれですか。（15点）

〔　　　　〕

(2) 「どうして、わたしだって 分かるの。」と きいたのは、なぜですか。（　）に 合う ことばを 書きましょう。（15点）

〔 お父さんは、（　　　　）ので、分からない はずだと 思ったから。 〕

(3) お父さんには、なぜ「わたし」が 分かるのですか。（20点）

〔　　　　〕

「におい。わたしの　にお
いって、どんなの。」
「きゅう食の　においだよ。」
わたしは、きて　いた
シャツを　引っぱって、く
んくん　においを　かいで
みた。
あっ、本当だ。スパゲッ
ティの、ケチャップの　に
おい。
「今日は、ナポリタンスパ
ゲッティだったよ。」
きゅう食の　ことを、思い
出した。
「よっちゃんが、デザート
の　れいとうみかんを　か
じって、目を　ぱちぱち
させてたよ。」
「はに、しみたんだね。」
お父さんは、おかしそう
に　わらった。

（平成27年度版　学校図書　みんなと学ぶ　小学校こくご二下　16～23ページより『お父さんの手』まはら　みと）

(4) お父さんは、「わたし」の においを、何の においだと　言いましたか。（15点）

〔　　　　　　　　　　〕

(5) 「あっ、本当だ。」と　言った　ときの「わたし」の　気もちに　合う　ものを　一つえらんで、○を　つけましょう。（15点）

ア（　）お父さんの　言う　とおりだ、すごい。

イ（　）今日の　きゅう食は　何だったかな。

ウ（　）お父さんも　食べたいのかな。

(6) お父さんが「おかしそうに　わらった。」のは、何が楽しかったからですか。（　）に　合う　ことばを　書きましょう。（20点）

〔（　　　　　　　　）と　学校の　ことを　話す　こと。〕

# 答え（こた）と考え方（かんがえかた）

●この 本では、文しょうの 中の ことばを 正かいと して います。にた 言い方の ことばで 答えても かまいません。また、答え合わせが しやすいように、分かち書き（一字あき）で しめして います。じっさいに 書く ときには、あける ひつようは ありません。
●ポイント は、考え方や ちゅうい点などです。
●〈　〉や ※は ほかの 答え方で、（　）は 答えに 書いても よいものです。
●れい の 答えでは、にた 内ようが 書ければ 正かいです。

## 1　1・2ページ　一年生の ふくしゅう(1)

**1** (1) 白・百　(2) 早・草　(3) 右・左

**2** (1) れい 読む　(2) れい ねむる　(3) れい ふる

**3** (1) と〈に〉・を　(2) を・に　(3) に・を　(4) と・に

**4** (1) ~とうりすぎた。（お）
(2) 人形お~。（を）
(3) 休みぢかんに~。（じ）

## 2　3・4ページ　一年生の ふくしゅう(2)

★ (1) 人と じどう車
(2) きゃくしつ
(3) さかなを とる ため。
(4) ・さかなの むれを 見つける
・きかい・あみ
(5) ふねの 火じを けす ため。
(6) 水や くすりを かけて、火を けします。

## 3　き本テスト①　5・6ページ　かん字の 読み書き(1)

**1** (1) いま　(2) げんき　(3) と　(4) ばしゃ　(5) まんねん　(6) じんこう

**2** (1) き／たいせつ　(2) ゆうがた／ほう

**3** (1) 引　(2) 止　(3) 丸　(4) 切

**4** (1) 万　(2) 刀　(3) 弓　(4) 午　(5) 才　(6) 牛

## 4　き本テスト②　7・8ページ　かん字の 読み書き(1)

**1** (1) ちち　(2) しょうねん　(3) いもうと　(4) きぶん　(5) がいしゅつ　(6) こうえん

**2** (1) ふと／たい　(2) うち／こうない

**3** (1) 少　(2) 分　(3) 多　(4) 外

**4** (1) 弟　(2) 姉　(3) 心　(4) 肉　(5) 兄　(6) 母

## 5　かんせいテスト　9・10ページ　かん字の 読み書き(1)

**1** (1) 天才　(2) 公園　(3) 外出　(4) 人工　(5) 丸太　(6) 馬車

**2** (1) 多い　(2) 少ない　(3) 止まる　(4) 分かれる

**3** (1) (◎)／(　)　(2) (　)／(◎)　(3) (◎)／(　)　(4) (　)／(◎)

**4** (1) 万／方　(2) 午／牛　(3) 元／兄　(4) 内／肉

## 6 き本テスト① 11・12ページ かん字の 読み書き(2)

**1** (1)はる (2)よう (3)みなみ (4)はんぶん (5)いち (6)けいと

**2** (1) とも／ゆうじん (2) ひがし／とう

**3** (1)古 (2)広 (3)半

**4** (1)矢 (2)夏 (3)秋 (4)冬 (5)台 (6)西 (7)北

## 7 き本テスト② 13・14ページ かん字の 読み書き(2)

**1** (1)おな (2)こうつう (3)とち (4)ひかり (5)え (6)じぶん

**2** (1) まわ／かい (2) あ／かい

**3** (1)交 (2)考 (3)通 (4)合

**4** (1)羽 (2)色 (3)光 (4)行 (5)寺 (6)池

## 8 かんせいテスト 15・16ページ かん字の 読み書き(2)

**1** (1)弓矢 (2)自分 (3)友人 (4)毛糸 (5)日光 (6)半分

**2** (1)広い (2)交わる (3)通る (4)考える

**3** (1) (◎)／( ) (2) ( )／(◎) (3) (◎)／( ) (4) ( )／(◎)

**4** (1) 父／交 (2) 池／地 (3) 同／回 (4) 会／合

## 9 き本テスト① 17・18ページ かん字の 読み書き(3)

**1** (1)ごと (2)まいにち (3)しかく (4)きしゃ (5)かいしゃ (6)ずこう

**2** (1) とお／えんそく (2) つく／さくぶん

**3** (1)近 (2)当 (3)走 (4)歩

**4** (1)米 (2)言 (3)形 (4)谷 (5)何 (6)書

## 10 き本テスト② 19・20ページ かん字の 読み書き(3)

**1** (1)たい (2)ごうけい (3)らいねん (4)とうきょう (5)かがく (6)ひとざと

**2** (1) けいかく／ずが (2) くに／こくご

**3** (1)売 (2)計 (3)知

**4** (1)声 (2)岩 (3)買 (4)体 (5)麦 (6)来 (7)理

## 11 かんせいテスト 21・22ページ かん字の 読み書き(3)

**1** (1)四角 (2)来年 (3)図画 (4)遠足 (5)外国 (6)東京

**2** (1)走る (2)近い (3)当てる (4)知らせる

**3** (1) (◎)／( ) (2) ( )／(◎) (3) ( )／(◎) (4) (◎)／( )

**4** (1) 米／来 (2) 毎／母 (3) 汽／気 (4) 何／同

## 12 き本テスト① 23・24ページ かん字の 読み書き(4)

1 (1)ひる (2)せいかつ (3)ごご
(4)あ (5)なまえ (6)こうもん

2 (1) あいだ / いっぷんかん (2) よなか / こんや

3 (1)直 (2)明 (3)後 (4)聞

4 (1)長 (2)店 (3)思
(4)海 (5)朝 (6)首

## 13 き本テスト② 25・26ページ かん字の 読み書き(4)

1 (1)く (2)にっき (3)きょうしつ
(4)てがみ (5)てんせん
(6)こうげん

2 (1) つよ / きょう (2) ほそ / こま

3 (1)教 (2)高 (3)帰 (4)食

4 (1)星 (2)茶 (3)弱
(4)風 (5)原 (6)紙

## 14 かんせいテスト 27・28ページ かん字の 読み書き(4)

1 (1)日記 (2)教室 (3)高原
(4)午後 (5)名前 (6)校門

2 (1)高い (2)教える
(3)明るい (4)聞こえる

3 (1) ( ) / (◎) (2) (◎) / ( )
(3) (◎) / ( ) (4) (◎) / ( )

4 (1) 門 / 間 (2) 活 / 海
(3) 紙 / 細 (4) 組 / 線

## 15 き本テスト① 29・30ページ かん字の 読み書き(5)

1 (1)な (2)ふうせん
(3)らいしゅう (4)じかん
(5)きいろ (6)のはら

2 (1) いえ / か (2) ひろば / じょう

3 (1)晴 (2)答 (3)黒 (4)鳴

4 (1)曜 (2)魚 (3)雪
(4)雲 (5)船 (6)鳥

## 16 き本テスト② 31・32ページ かん字の 読み書き(5)

1 (1)うた (2)とうばん
(3)おんがく (4)しんぶん
(5)かお (6)でんき

2 (1) かず / さんすう (2) はな / でんわ

3 (1)新 (2)楽 (3)歌 (4)数

4 (1)道 (2)話 (3)読
(4)頭 (5)親 (6)顔

## 17 かんせいテスト 33・34ページ かん字の 読み書き(5)

1 (1)風船 (2)来週 (3)電気
(4)算数 (5)当番 (6)野原

2 (1)歌う (2)答える
(3)数える (4)楽しい

3 (1) (◎) / ( ) (2) ( ) / (◎)
(3) (◎) / ( ) (4) (◎) / ( )

4 (1) 時 / 晴 (2) 雪 / 雲
(3) 新 / 親 (4) 頭 / 顔

## 18 き本テスト① 35・36ページ ことばの きまり(1) ・なかまの ことば

**1** (1)どうぶつ (2)がっき

**2**

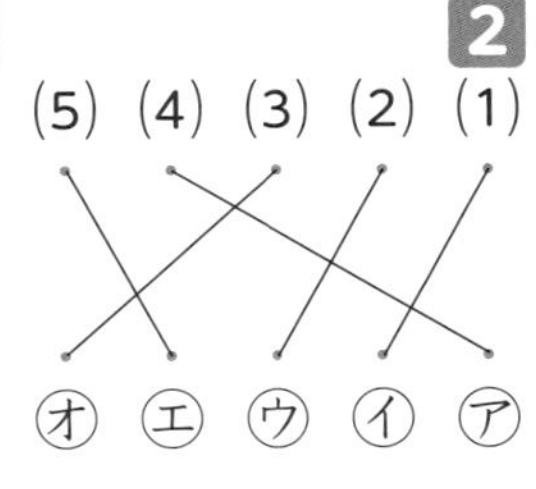


**3** ①バス ②トラック ③船
※①②は はんたいでも よい。

**4** (1)夜〈ばん〉 (2)あした〈あす〉 (3)来年 (4)小学校

## 19 き本テスト② 37・38ページ ことばの きまり(1) ・はんたいの ことば

**1** (1){( )(◯)} (2){(◯)( )} (3){(◯)( )}

**2**

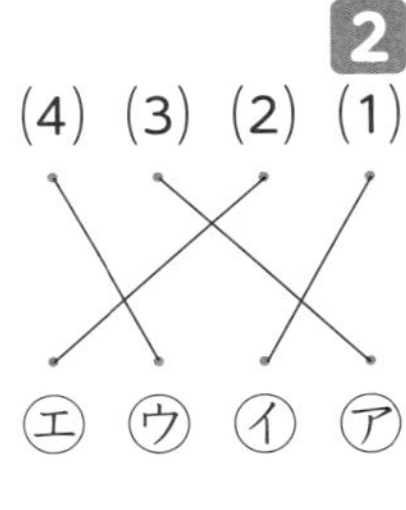


**3** (1)新しい (2)せまい (3)少ない (4)近い

**4** (1)おもい (2)小さく (3)長い (4)太く

## 20 かんせいテスト 39・40ページ ことばの きまり(1) ・なかまの ことば ・はんたいの ことば

**1** (1)見る・ながめる (2)食べる・話す (3)さわる・書く (4)ける・はねる
※(1)〜(4)は、それぞれ はんたいでも よい。

**2** (1)はたけ (2)歌う (3)学校

**3** (1)あける (2)まける (3)買う (4)止まる

## 21 き本テスト① 41・42ページ ことばの きまり(2) ・ようすを あらわす ことば

**1** (1){(◯)( )} (2){( )(◯)} (3){(◯)( )}

**2** (1)すくすく (2)わくわく (3)ごろごろ

**3** (1)すずしい (2)おいしい (3)長い (4)遠い

**4** (1){(◯)( )} (2){( )(◯)} (3){(◯)( )}

## 22 き本テスト② 43・44ページ ことばの きまり(2) ・文の 組み立て

**1** (1)父が (2)花が (3)友だちが

**2** (1)わらう (2)ふる (3)なく (4)あらう

**3** (1)が (2)に・を (3)が・を (4)を・に

**4** (1)れい さるが、バナナを 食べる。
(2)れい 男の子が、へやを きれいに そうじする。

## 23 かんせいテスト 45・46ページ ことばの きまり(2) ・ようすを あらわす ことば ・文の 組み立て

**1** (1) (2) (3) (4) (5)
ながめる。 歩く。 ぬる。 見える。 うかぶ。

**2** イ・オ・カ に◯

**3** (1)は・に (2)で・へ (3)は・で・を (4)が・を・に (5)に・は・を

**4** (1)れい ボールを なげた。
(2)れい ボールを おいかけた。

## 24 き本テスト① 47・48ページ ことばの きまり(3) ・かたかな

**1** (1)パ・ジ　(2)ノ・ビ　(3)ラ・ガ

**2** (1)コンパス　(2)テーブル
(3)ジャンプ　(4)ポケット
(5)スプーン　(6)チョーク

**3** (1)シャツ・ズボン
(2)ケーキ・チョコレート
※(1)・(2)は、それぞれ はんたいでも よい。

**4** (1)バス・ガタガタ
(2)カメラ・パンダ
(3)アメリカ・ポスト
※(1)〜(3)は、それぞれ はんたいでも よい。

## 25 き本テスト② 49・50ページ ことばの きまり(3) ・かん字の 組み立て

**1** (1)鳴　(2)星　(3)園

**2** (1)週・近・通　(2)線・絵・組
※(1)・(2)は、それぞれ じゅんじょが ちがっても よい。

**3** (1)晴・明　(2)話・読　(3)電・雪

**4** (1)汽・海　(2)会・今
(3)地・場　(4)答・算

## 26 かんせいテスト 51・52ページ ことばの きまり(3) ・かたかな ・かん字の 組み立て

**1** (1)イギリス・イタリア
(2)チュンチュン・ワンワン
(3)テレビ・サイダー
※(1)〜(3)は、それぞれ はんたいでも よい。

**2** (1)ダン~~ヌ~~ス
(2)レストラ~~メ~~ン　(3)オムレ~~ジ~~ツ

## 27 き本テスト 53・54ページ 作文の 書き方(1) ・できごとを 書く

**3** (1)社　(2)思　(3)切　(4)麦
(5)交　(6)頭　(7)歩

**4** (1)室・家　(2)店・広
(3)図・国　(4)通・週

**1** (1)日曜日
(2)山中こ〈みずうみ〉
(3)ゆうらん船〈船〉

**2** (1)夏休み　(2)かぶと虫
(3)3

## 28 かんせいテスト 55・56ページ 作文の 書き方(1) ・できごとを 書く

★ (1)こうえん
(2)1…㋐　2…㋑㋒
(3)わたしは、なにを つくって いるのだろうと 思いました。
(4)「 」〈カギ〉
(5)**イ** に○

## 29 き本テスト 57・58ページ 作文の 書き方(2) ・じゅんじょよく 書く

**1** (1)糸電話
(2)2・3

**2** (1)㋒→㋑→㋓
(2)たこ

## 30 かんせいテスト 59・60ページ 作文の 書き方(2) ・じゅんじょよく 書く

★ (1)**ウ** に○
(2)はじめに
(3)㋐3　㋑2　㋒1　㋓4
(4)6

## 31 き本テスト 61・62ページ どう話の 読みとり(1) ・場めんの ようす

★(1) 空の 上
(2) 「おうい、はるかぜ。おきなさい。」
(3) (大きな)あくび
(4) 竹やぶ
(5) とけて 水に なった。
(6) ふきのとう

## 32 かんせいテスト 63・64ページ どう話の 読みとり(1) ・場めんの ようす

★(1) ①はるかぜ ②ねぼう
(2) はるかぜ
(3) 竹やぶ、雪、ふきのとう
(4) ふうっと いきを はきました。
(5) ふんばる
(6) ゆれて 竹やぶ とけて 雪

## 33 き本テスト 65・66ページ どう話の 読みとり(2) ・人ぶつの 気もち

★(1) れい たべようと 思った。
(2) ぶるると みぶるいした。
(3) (いい)すみか
(4) 「よし よし、おれの うちに きなよ。」
(5) やさしい

## 34 かんせいテスト① 67・68ページ どう話の 読みとり(2) ・人ぶつの 気もち

★(1) れい 太らせてから たべようと 考えたから。
(2) ア に○
(3) れい いい すみかが ない こと。
(4) 太らせて
(5) れい 生まれて はじめて「やさしい」と 言われたから。

## 35 かんせいテスト② 69・70ページ どう話の 読みとり(2) ・人ぶつの 気もち

★(1) じめんに たおれて、もがいて いた。
(2) れい ほうって おいたら、夜に なって、おおかみに 食われて しまうかも しれないから。

**ポイント**
スーホが 言った ことばの おわりに 「それで」と あるね。その 前の ぶぶんに、つれて きた わけが 書かれて いるよ。

(3) れい 心を こめて せわを したから。
(4) れい おおかみの 前に 立ちふさがって、ひっしに ふせいで いました。
(5) 体中 あせ びっしょりでした。
(6) ウ に○
(7) 兄弟

## 36 き本テスト 71・72ページ せつ明文の 読みとり(1) ・話の じゅんじょ

★(1) 七月の はじめごろ
(2) ①強く ②とび回る
(3) 水べの こけ
(4) 五百こから 千こにも 上ります。
(5) およそ 一か月
(6) 水の 中〈川の 中〉

## 37 かんせいテスト 73・74ページ せつ明文の 読みとり(1) ・話の じゅんじょ

★(1) しんごう
(2) れい めすを 見つけて けっこん するため。
(3) 十日ばかり
(4) ㋐1 ㋑3 ㋒2
(5) れい 川の 中へ 入り、水の 中で

## 38 き本テスト 75・76ページ せつ明文の 読みとり(2) ・だいじな ところ

★(1) 黄色い きれいな(花)。
(2) ぐったりと じめんに たおれて しまいます。
(3) 花と じくを しずかに～おくって いるのです。
(4) イ に○ (5) おき上がる
(6) れい じくの せいを 高く する ほうが よい。

## 39 かんせいテスト① 77・78ページ せつ明文の 読みとり(2) ・だいじな ところ

★(1) ①しぼんで ②黒っぽい
(2) 3
(3) ウ に○
(4) (白い)わた毛〈たね〉
(5) らっかさん
(6) たね
(7) ①風 ②とおく

## 40 かんせいテスト② 79・80ページ せつ明文の 読みとり(2) ・だいじな ところ

★(1) ①北アメリカ ②川
(2) れい ビーバーが 木の みきを かじる 音。
(3) 地ひびき
(4) (大工さんの つかう)のみ
(5) れい 木を 切りたおす 音〈ポプラや やなぎの 木を 切りたおす 音〉
(6) れい みじかく かみ切り、(ずるずると)川の 方に 引きずって いきます。

**ポイント**

ビーバーは、切(き)りたおした 木を、さらに みじかく かみ切(き)るんだね。

## 41 きほんテスト 81・82ページ 詩の 読みとり

**1** (1)つぶつぶ

(2)①ブドウ

②リンゴ

**2** (1)・わたぐも　・すじぐも

・(でっかい)おひさま

(2)①くじら　②つかまえる

## 42 かんせいテスト 83・84ページ 詩の 読みとり

**1** (1)①つぶつぶ

②リンゴ

(2)ブドウ・リンゴ

※はんたいでも よい。

**2** (1)・かきわけて　・つかまえる

(2)れい だれかと しっかり 手を つなげ

(3)れい 地球を かかえる こと。

## 43 85・86ページ しあげテスト(1)

**1** (1)内・肉　(2)合・会

**2** (1)秋・冬・夏

(2)弟・父・母

※(1)・(2)は、それぞれ じゅんじょが ちがっても よい。

**3** (1)弱い　(2)明るい

(3)長い　(4)売る

**4** (1)アンデルセン・グリム

(2)ポチャン・ガサガサ

(3)ノート・ブラシ

※(1)〜(3)は、それぞれ はんたいでも よい。

## 44 87・88ページ しあげテスト(2)

★ (1)お父さん

(2)れい 目が 見えない

(3)れい (かおりの)においが するから。

(4)きゅう食の におい

(5)**ア** に○

(6)わたし〈かおり〉